Franz Marc   Schriften

Klaus Lankheit

Franz Marc
Schriften

DuMont Buchverlag Köln

CIP-Kurztitelaufnahme der Deutschen Bibliothek

Marc, Franz:
[Sammlung]
Schriften / Franz Marc. Hrsg. von Klaus Lankheit.
– Köln : DuMont, 1978.
  ISBN 3-7701-1088-9

Inhalt

Einführung

».. . bedenke, daß ich nicht Schriftsteller oder Gelehrter, sondern Maler bin«.
So schrieb Franz Marc am 20. Februar 1915 an seine Frau Maria[1]. Dieser Satz
sollte jeder Wertung seiner schriftlichen Äußerungen vorangestellt werden.
Denn in der Tat: Marc war bildender Künstler – nicht Theologe, Philosoph,
Historiker oder Kunstwissenschaftler. Daher darf von ihm weder eine vollstän-
dige Theorie schöpferischen Tuns noch gar ein geschlossenes weltanschauliches
›System‹ erwartet werden. Sofern sich der Maler im Wort äußerte, waren es zu
Papier gebrachte Gedankengänge, besser noch: Gedankensplitter; auch da, wo
er – meist kurze – Essays verfaßte. Der ›Aphorismus‹ war die ihm gemäße Aus-
drucksweise, und aphoristisch wollen alle seine Schriften aufgenommen werden.
So erklären sich auch manche Widersprüche, etwa bei der Bewertung natur-
wissenschaftlicher Phänomene oder sozialer Fragen.

Die Bekenntnisse wurden meist aus bestimmtem Anlaß, mitunter auf Veran-
lassung anderer, abgefaßt. Man kann sogar sagen, daß der Malende erst nach
Anstößen von außen zum Schreibenden geworden ist; dies gilt für theoretische
Überlegungen ebenso wie für kunstpolitische Stellungnahmen oder Äußerungen
allgemeiner Art. Die Ausführungen über das Tierbild, in denen er das eigene
Schaffen zu deuten suchte, sind auf Verlangen von Reinhard Piper nieder-
geschrieben worden und in einer Publikation des Verlegers erschienen (Nr. 2);
sein Eingreifen in den künstlerischen Meinungsstreit zugunsten der verkannten
Maler aus der ›Neuen Künstlervereinigung München‹ wurde von dieser als
Privatdruck verbreitet (Nr. 14); seine Stellungnahme für die noch umstrittene
Malerei der französischen Impressionisten und ihrer Nachfolger war durch einen
engstirnigen Angriff provoziert worden und erschien in einer gemeinschaftlichen
Gegenschrift zusammen mit den Urteilen künstlerisch führender Köpfe Deutschlands (Nr. 15); die ›Erwiderung‹ wurde durch einen hämischen Artikel über
Max Pechstein ausgelöst und entsprang einem Gefühl der Solidarität gegenüber
einem zu Unrecht verlachten Gefährten (Nr. 18); die Verteidigung Kandinskys
war ein Protest gegen die Verunglimpfung des älteren Freundes in der Presse
und erfolgte im Rahmen einer Ehrenerklärung zahlreicher Gesinnungsge-
nossen (Nr. 22).

Bei den Äußerungen über seine eigene Kunst lag es Marc fern, eine doktrinäre Lehre aufzustellen, seine Bilder zu kommentieren oder sich zu rechtfertigen. Wenn er zur Feder griff, schrieb er Überlegungen auf, die sich ihm aus der Praxis des Malens ergeben hatten. Wie die Briefe an seine Frau Maria oder an den Freund August Macke oft die Weiterführung von mündlichen Gesprächen im Atelier waren, so basieren die Niederschriften auf Erfahrungen vor der Staffelei. Es sind nachträglich verfaßte Aufzeichnungen. Während des Schaffensprozesses war diese Art des Denkens ausgeschaltet. Marc betonte mehrmals, daß er gerade bei seinen besten Arbeiten nicht wüßte, auf welche Weise sie sich gestaltet hätten. Von dem größten Gemälde – ›Tierschicksale‹ – bekannte er, es sei »wie im Trance« entstanden.[2] Wir müssen uns daher hüten, die Bilder von den Texten her zu deuten. Der Primat schöpferischen Tuns vor der Reflexion steht außer Frage.

So flüssig sein Stil, so virtuos zuweilen seine Formulierungen erscheinen: dem Künstler ist das Schreiben – entgegen der allgemeinen Meinung – nicht leicht gefallen; er hat oft um den rechten Begriff gerungen, Streichungen und Verbesserungen in seinen Manuskripten legen Zeugnis davon ab (Nr. 3, 7, 9, 13). Oft schälte sich ein treffender Ausdruck erst während des Schreibens heraus. Marc legte seine Manuskripte den Freunden zur Begutachtung vor und war durchaus bereit, auf deren Urteil zu hören. Der Artikel zur Verteidigung der Neuen Künstlervereinigung, dessen Entstehung wir durch den Briefwechsel mit Adolf Erbslöh rekonstruieren können, ist ein beachtenswertes Beispiel dafür (Nr. 14). Auch Einwänden des älteren und erfahreneren Kandinsky gegenüber hatte er ein offenes Ohr (Nr. 24). Zu den im Felde verfaßten Aufsätzen schrieb er seiner Frau, sie möge Karl Wolfskehl, Paul Klee oder Alfred Kubin um Rat fragen und unbesorgt kleine Änderungen an den Konzepten vornehmen (Nr. 31, 32). Er zog sogar einen Artikel vollständig zurück, als Frau und Freunde es ihm rieten (Nr. 33).

Andererseits besaß Marc die Gabe, schwierige Probleme einfach und überzeugend darzustellen. Ihm stand ein großer Reichtum des Ausdrucks zur Verfügung. Seine Sprache spiegelt das persönliche Engagement wider: sie kann begeistert, empört, beschwörend klingen. Sein individueller Stil ist jedoch zugleich Sageweise einer erregenden Zeit. Dabei war Marc bemüht, Phrasen zu vermeiden, die »entweder zu volltönend oder zu feuilletonistisch« klingen.[3] Nicht immer entging er dieser von ihm gespürten Gefahr. Aber in den glücklichen Fällen, in denen die sprachliche Darstellung dem mitgeteilten Gedanken adäquat ist, gelangen ihm Sätze, die unsere Literatur wunderbar bereichert haben.

I

Vorangestellt wurde das französische Tagebuch von 1903, ein Dokument über den Menschen und dazu kunstgeschichtlich aufschlußreich (Nr. 1, Abb. 5). Es ist französisch im doppelten Sinn: Niederschlag einer Reise nach Frankreich und in der Sprache dieses Landes geschrieben. Als einzige ausführliche Aufzeichnung der Lehrjahre ermöglicht es uns lebensvolle Einblicke in die naive Begeisterungsfähigkeit des Dreiundzwanzigjährigen; überpersönlich gesehen, gewährt es uns zugleich eine ebenso instruktive wie amüsante Vorstellung von dem Eindruck, den die Weltstadt und Metropole der Malerei auf den Absolventen einer deutschen Kunstakademie kurz nach der Jahrhundertwende machte. Von Wanderfahrten in das benachbarte Tirol abgesehen, war diese Reise der erste Auslandsaufenthalt Marcs überhaupt. Mit einem Male trat der junge Franz aus dem begrenzten und behüteten bürgerlichen Kreis des Vaterhauses heraus; geblendet stand er vor der Weite und Sonnenhelle westlichen Lebens- und Kunstgefühls. Er schrieb zwar lange Briefe an die Eltern, doch trug er auch stichwortartig – in mehr oder weniger gutem Französisch – alle seine großen und kleinen Erlebnisse Tag für Tag in ein Quartheft ein.[4]

Ein sehr wohlhabender Studienfreund von der Akademie, der um sieben Jahre ältere Mannheimer Friedrich Lauer, hatte ihn zu dieser Reise eingeladen. Man wollte zunächst nur für ein paar Wochen nach Paris fahren, doch wurde die Fahrt bis in die Bretagne ausgedehnt und dauerte schließlich von Mitte Mai bis Ende September.

Marc genoß die faszinierende Pariser Atmosphäre, gab sich den erregenden Eindrücken von Theater und Oper hin, besuchte die viel gerühmten Kunststätten der Stadt, fuhr nach Meudon, Chantilly, Chartres, dreimal nach Versailles. Er studierte die alten Meister im Louvre, zeichnete und malte (Abb. 2 und 3). Den tiefsten Eindruck erhielt er vor den Bildern der Impressionisten, von denen er in Deutschland noch keine Beispiele hatte sehen können: »Je pense que cela reste décisif pour mon art!« Für die ›provinzielle‹ Situation des deutschen Akademiestudenten ist es jedoch bezeichnend, daß gleichzeitig mit dem Impressionismus schon Kunst und Kunsthandwerk außereuropäischer Kulturen in seinen Gesichtskreis traten: Er sah eine islamische Ausstellung im Musée des Arts décoratifs, die er mit den Worten »superbe! Ereignis!« im Tagebuch erwähnte, und erwarb japanische Holzschnitte. Ende Juli besuchte man die Loireschlösser Blois, Chambord und Amboise. Über Tours, Angers und Nantes fuhren die Freunde in die Bretagne. Dort, wo Marc zum ersten Mal das Meer erlebte, blieben sie vier Wochen. Anfang September kehrte man für acht Tage nach Paris zurück. Am 12. des Monats begann die Rückreise mit Aufenthalten in Le Havre, Rouen und Amiens. Über Brüssel, Antwerpen und Köln ging es nach Heidelberg und von dort am 26. September »heim nach München«.

Außer den Schilderungen der Reiseeindrücke erfährt der Leser manche Einzelheit, die für Marcs Biographie von Wert ist. So wissen wir es durch solche Einträge, daß der Künstler in Paris die japanischen Holzschnitte erwarb, die den Grundstock seiner eigenen Sammlung bildeten. Das Tagebuch verrät uns, daß man in Quimper die »costumes bretons« kaufte, – nach Rückkehr hat sich Franz in dieser Tracht gemalt (Abb. 1). Unter dem 12. August finden wir die Eintragung: »peint des enfants«; wir dürfen diese Notiz wohl zur Datierung der Ölskizze in der Bremer Kunsthalle heranziehen (Abb. 4).

II

Im zweiten, umfangreichsten Teil sind Texte aus den Jahren 1910 bis 1914 zusammengefaßt, die zu der eigenen Kunstübung des Verfassers in Beziehung stehen. Es pflegen meist nicht die unbegabtesten Maler zu sein, die bei der Erklärung ihrer Werke versagen; Marc gehörte eher zu den Ausnahmen. Denn es ist eine erstaunlich klare Aussage, die er über die plastische Gruppe der ›Zwei Pferde‹ abgab (Nr. 2, Abb. 9). Dabei müssen wir beachten, daß Reinhard Piper sie erbeten hatte und daß sie fast eineinhalb Jahre nach der Entstehung dieser Bronze geschrieben wurde. Der Verleger hatte auf der ersten Ausstellung Marcs im Februar 1910 die farbige Lithographie ›Pferde in der Sonne‹ erworben (Abb. 6 u. 7). Der Brief, in dem der Künstler seine Ausführungen übersandte, beginnt mit den Worten: »Sie denken vielleicht, daß es furchtbar einfach für mich sein muß zu sagen, worin das ›Charakteristische von meiner künstlerischen Tätigkeit‹ liegt. Ich könnte Ihnen mit dem in ›Rembrandt als Erzieher‹ angeführten Satz Cromwells antworten: ›der kommt am weitesten, der nicht weiß, wohin er geht‹. Aber damit ist Ihnen schwerlich gedient. Also will ich's versuchen; und wo die Begriffe fehlen werden, müssen ›Worte‹ sich rettend einstellen.« Und als Nachsatz schrieb Marc: »Vielleicht gelingt es Ihnen, aus diesem Geschreibsel etwas herauszuschälen, was meine vagen Ideen präziser faßt. Im Grunde plagen mich die Ideen viel weniger als es nach einem solchen Schreiben den Augenschein haben mag.«[5] Den Vorrang des ›Bildens‹ vor dem ›Reden‹ beweist die Tatsache, daß Marc durch Pipers Anstoß nicht zum Schriftsteller, sondern gerade zu neuer plastischer Betätigung angeregt wurde; denn kurz nach diesem Brief berichtete er dem Verleger: »... und abends modelliere ich momentan an meinen Bären und an einer Aktfigur – ich kann's nicht lassen und komme zu nichts anderem dabei ...« (Abb. 8).[6]

Erst weitere anderthalb Jahre später griff Marc wieder zur Feder, um sich Gedanken über seine künstlerische Arbeit zu machen (Nr. 3). Diesmal schien er eine Veröffentlichung beabsichtigt zu haben, denn er warnte den ›Leser‹ vor der Vermutung, er hätte bei diesen Erörterungen an die eigenen Bilder gedacht: »Die Sache liegt vielmehr so, daß die Unzufriedenheit über mein eigenes Schaffen mich zum Nachdenken zwingt und diese Zeilen hervorruft.« Indessen, der Text zeigt doch, daß auch hier Reflexionen über bereits gemalte Werke vorliegen. Sie wurden augenscheinlich durch den Kubismus ausgelöst, dessen Formensprache Marc sogleich expressiv zu nutzen suchte. Er fragte: »Gibt es für Künstler eine geheimnisvollere Idee als die, wie sich wohl die Natur in dem Auge eines Tieres spiegelt? Wie sieht ein Pferd die Welt oder ein Adler, ein Reh oder ein Hund?« Wir müssen dabei an das Gemälde denken, das Marc zuerst ›So sieht mein Hund die Welt‹ genannt hat (Abb. 13). Maria erzählte gelegentlich, wie Franz auf einem Spaziergang der beiden mit ›Russi‹ plötzlich auf den sitzenden Hund deutete und sagte: »Ich möcht' mal wissen, was jetzt in dem Hund vorgeht.«[7] Solch einfacher Art, nicht Ergebnis tiefschürfender theoretischer Überlegung sind oft die Anstöße zu künstlerischer Gestaltung.

Die folgenden drei Aufsätze gehören zusammen. Rasch nacheinander erschienen, enthalten sie die vielleicht gültigsten Aussagen des Künstlers über die Grundlagen der modernen Malerei.[8] Marc hatte die Jahreswende 1911/12 bei den Schwiegereltern in Berlin verbracht, er war dort mehrmals mit dem Kunsthändler und Verleger Paul Cassirer zusammengetroffen. Dieser hatte ihn aufgefordert, für die von ihm herausgegebene Wochenschrift PAN einen Beitrag zu verfassen. Nach Sindelsdorf zurückgekehrt, begab er sich sogleich ans Werk. Schon das erste Märzheft enthielt den Aufsatz ›Die neue Malerei‹ (Nr. 4). Marc geht von den neunziger Jahren des vorigen Jahrhunderts in Frankreich und dem Ende des Impressionismus aus, den er 1903 noch als entscheidend für sein Leben angesehen hatte, und stellt jenen »pleinairistischen Monomanien« entwicklungsgeschichtlich nunmehr die eigenen »pleinairfremden Konstruktionsideen« gegenüber. Dabei betont er jedoch, daß sich diese Ideen auf eine ältere Tradition berufen können, und legt Wert auf die

Tatsache, »daß wir uns in unseren Bildern dem Herzen der Natur mindestens
ebenso nahe glauben als Manet, wenn er durch raffinierte Wiedergabe der
äußeren Form und Farbe, des Pfirsichs oder der Rose ihren Duft zu verraten
und ihr inneres Geheimnis fühlbar zu machen suchte«. Doch – so dürfen wir
schließen – habe sich der Begriff ›Natur‹ verändert. Cézanne als Vater der
Moderne habe dies erkannt: schon er »grübelte über neue Mittel –, tiefer in die
organische Struktur der Dinge zu blicken und letzten Endes ihren inneren,
geistigen Sinn zu geben«. Ihm folge die junge Generation: »Wir suchen heute
hinter dem Schleier des Scheines vorborgene Dinge in der Natur, die uns
wichtiger scheinen als die Entdeckungen der Impressionisten ... Und zwar
suchen und malen wir diese innere, geistige Seite der Natur nicht aus Laune
oder Lust am anderen, sondern weil wir diese Seite *sehen*, so wie man früher auf
einmal violette Schatten und den Aether über allen Dingen ›sah‹. Das Warum
können wir für jene so wenig bestimmen wie für uns. Es liegt in der Zeit ...
Glaubt man denn im Ernste, daß wir neuen Maler unsre Formen nicht aus der
Natur holen, sie nicht der Natur abringen, so gut wie jeder Künstler aller
Zeiten?« Freilich – so deutet Marc im Schlußsatz an – seien Natur und Kunst
zweierlei: »Die Kunst war und ist in ihrem Wesen jederzeit die kühnste Entfernung von der Natur und der ›Natürlichkeit‹, die Brücke ins Geisterreich, die
Nekromantik der Menschheit.«

In einem zweiten Artikel, der im dritten Märzheft erschien, führte der
Künstler diesen Gedanken näher aus. Nun wird noch klarer, als es bereits die
Worte von der »Brücke ins Geisterreich« und der »Nekromantik der Menschheit« bezeugen, daß er in der klassisch-romantischen Epoche wurzelt, die jene
fundamentale Erkenntnis von der Unterscheidung zwischen ›Naturschönheit‹
und ›Kunstschönheit‹ gefunden hatte. Unter der Überschrift ›Die konstruktiven Ideen der neuen Malerei‹ (Nr. 5) weist er auf die unheilvolle Verwechs-
lung solcher Begriffe hin. Es gehe darum, »den Eigengehalt von bis jetzt noch
fast ganz unerkannten Gesetzen zu zeigen, den jedes Kunstwerk versteckter
oder offener enthält; und zwar stimmen diese Gesetze durchaus nicht überein
mit den Gesetzen unserer Naturwissenschaft. Die künstlerische Wirkung eines
gemalten Aktes hat nicht das Geringste mit den wissenschaftlichen Bildungsgesetzen einer Figur zu tun ... Ja, man entdeckte, daß die reinkünstlerische
Wirkung meist stärker ist, wo die wissenschaftlichen Bildungsgesetze nicht
gewußt oder ignoriert werden«. Der »Bildungstrieb« des Künstlers – wir er-
innern uns an den Hymnus des jungen Goethe – folge »unentrinnbaren Gesetzen ... die für das Innenleben des Menschen die einzig bestimmenden sind.
Die heutige Kunst sucht sich mit ihren Ausdrucksformen direkt diesem Innen-

leben zuzuwenden und entkleidet darum ihre Werke von der äußerlichen
Hülle, in die ihre Vorgänger, der Geistesrichtung ihrer Zeit folgend, sie gesteckt
haben.« Nochmals werden Naturschönheit und Kunstschönheit an Beispielen
unterschieden: »Heute ist die ganze Welt glücklich so weit, die ›schön gemalte‹
Winterlandschaft für Kunst zu halten, auch wenn ihr Verfertiger kein Lot
Kunstgefühl besaß und sie lediglich nach den lernbaren Gesetzen der Optik mit
freundlicher Hilfe der Kamera zurechtgemalt hat. Wenn aber heute ein künstlerisch Hochbegabter auf ein Blatt Papier einige dunkle Linien zieht, in denen
er bewußt oder instinktiv (d.h. mit anderen Worten: als Künstler oder als
Laie) den geheimnisvollen Wirkungsgesetzen der Kunst gehorcht, lacht ganz
Deutschland über seine Prätention, daß diese unverständlichen Linien irgend
etwas mit Kunst gemein haben sollen. Ist er ein Künstler, so greift man ihn wie
einen gemeinen Schwindler an. Aber die schöne Winterlandschaft! das war
was anderes! So stumpf sind die Sinne geworden gegenüber künstlerischer
Form, so banal das Auge, daß es den äußerlichsten Naturvergleich als ein
brauchbares Kriterium ansieht, so denkfaul das Hirn, daß es den Nachahmungstrieb vom Kunsttrieb nicht mehr zu unterscheiden vermag!«

Man merkt den Worten an, wie schwer es Marc fiel, seinen Zorn über die
leichtfertigen Angriffe auf die Künstler der jungen Bewegung zu zügeln. Der
Ton wurde zunehmend polemisch. Schon der zurückhaltende erste Aufsatz
rief einen öffentlichen Widerspruch hervor. Noch bevor die ergänzenden
Gedanken im dritten Märzheft publiziert waren, stand in der am 14. März
herausgegebenen Nummer eine ›Erwiderung‹. Sie gewinnt dadurch an Interesse, daß der Verfasser ebenfalls ein Maler war, der heute zu den großen
Gestalten der deutschen Malerei unseres Jahrhunderts gehört: Max Beckmann
– freilich der Beckmann der ›Auferstehung‹, des ›Kaiserdamm in Berlin‹ und
des ›Untergang der Titanic‹, nach den Worten Will Grohmanns »damals im
Schlepptau der Liebermann-Sezession«.[9] Für ihn, der später zu einem monu-
mentalen Stil fand, verstand sich eine strenge Bildordnung von selbst, daher
vermochte er dem Kunstwollen eines Picasso nicht gerecht zu werden: »Wie
komisch ist es überhaupt, so viel von Kubismus oder Konstruktionsideen zu
reden. Als ob nicht in jedem guten Bilde alter und neuer Zeit eine Konstruk-
tionsidee, meinetwegen sogar auf kubischen Wirkungen berechnet, stäke.«
Daß er sich damals noch nicht aus der Befangenheit des 19. Jahrhunderts gelöst
hatte, verrät insbesondere sein Urteil über die Meister des Nachimpressionis-
mus. Auch er – Beckmann – »verehre in Cézanne ein Genie«, aber dessen
»schwache Sachen unterscheiden sich wenig von einer geschmackvollen
Tapete oder einem Gobelin ...«. Gauguin halte er »immerhin für eine ge-

schmackvolle Persönlichkeit, die es verstanden hat, aus Cézanne und Insulaner-motiven eine für den Augenblick amüsante Dekoration zu komponieren . . . Matisse ist ein noch traurigerer Vertreter dieser Völkerkunde – Museumskunst, Abteilung Asien«. In Bausch und Bogen verurteilte er die »vereinigten Scharen für Kunst und Kunstgewerbe« und »ihre eingerahmten Gauguintapeten, Matisse-Stoffe, Picasso-Schachbrettchen und sibirisch-bajuvarische Marterln-plakate«. Die letzte Formulierung war ein Hieb gegen die Münchner! Beck-mann bestritt den von Marc ins Feld geführten neuen Qualitätsbegriff: »Auch ich will nun einmal von Qualität reden. Qualität, wie ich sie verstehe. Den Sinn nämlich für den pfirsichfarbenen Schimmer einer Haut, für den Glanz eines Nagels, für das Künstlerisch Sinnliche, was in der Weichheit des Fleisches, in der Tiefe und Abstufung des Raumes, nicht nur in der Fläche, sondern auch in der Tiefe liegt. Und dann vor allem in dem Reiz der Materie. Den Schmelz der Ölfarbe, wenn ich an Rembrandt, Leibl, Cézanne denke oder an die geist-volle Struktur des Striches bei Hals.«

Mit fliegender Feder verfaßte Marc einen ›Anti-Beckmann‹, schon das letzte Märzheft brachte die kurze Replik (Nr. 6). Er fühlt sich mißverstanden und glaubt dies nur damit erklären zu können, »daß Herr Beckmann meine Ausführungen kaum recht gelesen hat«. Er findet es unbegreiflich, »als Maler von ›Matisse-Stoffen‹ und ›Picasso-Schachbrettchen‹ zu reden«. Jede weitere Diskussion sei unfruchtbar mit einem Gegner, der den Begriff der Qualität so definiere wie Beckmann. Um dem Leser diese Definition ins Gedächtnis zu rufen, wiederholt er jene Sätze aus der Erwiderung und fährt fort: »Nein, Herr Beckmann, Qualität erkennt man nicht am Glanz des Nagels oder am schönen Schmelz der Ölfarbe; mit Qualität bezeichnet man die innere Größe des Werkes, durch die es sich von Werken der Nachahmer und kleinen Geister unterscheidet. Leibls Werke haben Qualität, – die Werke seiner Nachfolger meist nicht, da der Geist nicht hinter ihnen steht.«

Die als nächstes abgedruckten Fragmente lassen sich nur mittelbar datieren, konkrete Anlässe zu ihrer Entstehung nicht feststellen. Vielleicht sind sie be-reits für die geplanten weiteren ›Hefte‹ des Blauen Reiters bestimmt gewesen. Eines bezieht sich auf Marinettis Manifest ›Die futuristische Literatur‹, das Herwarth Walden in einer Oktobernummer 1912 seiner Zeitschrift STURM veröffentlicht hatte (Nr. 7).[10] Der von Marc hier berührte Zusammenhang von Kunst und Religion wird in dem ›Religiöses‹ überschriebenen Abschnitt weiter behandelt (Nr. 8). Die Behauptung, daß es »keine große und reine Kunst ohne Religion« gebe, aber »neue Symbole und Legenden« in die Seelen einziehen würden, läßt einerseits an Sätze denken, die für den Almanach schon Ende 1911 als Aufgabe der Künstler formuliert worden waren: »durch ihre Arbeit ihrer Zeit *Symbole* zu schaffen, die auf die Altäre der kommenden geistigen Religion gehören . . .« (Nr. 23). Andererseits erinnert sie an Marcs Worte in einem Brief an Kandinsky aus dem August 1912 über seine Bilder: ». . . was über mich mögen die Menschen alles dabei denken, wenn sie sie sehen! Es quält mich, daß keines so klar ist, daß man meinen Wunsch unzweideutig lesen kann, den Wunsch zur Religion, die nicht da ist.«[11]

Das folgende Manuskript, dessen Anfang schon bei dem Teildruck im Jahre 1920 verloren war, gehört zu den bekanntesten Aufzeichnungen Marcs (Nr. 9). Es sind Meditationen über die ›abstrakte‹ Malerei – einen Begriff, den der Verfasser noch innerhalb derselben Niederschrift in die ›absolute‹ umbenennt. Das Wesen dieser künstlerischen Sprache sieht Marc in der Abkehr vom Subjektivismus und in der Rückführung der Formen auf die in den Elementen der Natur latent vorhandene Gesetzmäßigkeit, d.h. in dem Versuch, »die Welt selbst zum Reden zu bringen«. Am Schluß bringt er den köstlichen Vergleich der Situation des Malers mit der des Dichters, welcher es längst vor der Öffentlichkeit durchgesetzt habe, daß bei ihm »der Mond in das Zimmer spazieren darf; man darf sogar eine Sonne im Herzen tragen, Sterne herunterholen und so weiter. Aber lassen Sie einmal einen Maler« – Marc denkt wohl an Chagall – »den Mond in einer Stube aufhängen oder auf den Tisch legen usw. Manches ist auf Verordnungswegen erlaubt worden, z.B. einem Pferde Flügel ansetzen; aber man muß das Patent ›Pegasus‹ darunter schreiben.«

In dieses Kapitel sind auch zwei kurze Aufzeichnungen aus Skizzenbüchern aufgenommen worden. Unerwartet stehen sie zwischen den Zeichnungen: offenbar Versuche in expressionistischer Dichtung (Nr. 10 und 11). Sie dürften von Kandinskys Wortgebilden angeregt worden sein, die unter dem Titel ›Klänge‹ 1913 bei Piper erschienen. Die Schlußzeile der ersten kehrt als rätselhafte Beschriftung des farbigen Entwurfs zu ›Tierschicksale‹ wieder (Abb. 18)[12].

Ein Aufsatz, der erst 1914 entstanden sein kann, spiegelt die Begegnung mit den Naturwissenschaften wider. (Nr. 12). Die – freilich vagen – Eindrücke von den jüngsten Erkenntnissen der Mathematik und Physik, besonders von der Energielehre und dem Gesetz von der Erhaltung der Kraft, wurden von dem Künstler als Bestätigung und Ermunterung auf dem seit dem Herbst 1912 eingeschlagenen Weg empfunden. Hatte er damals doch begonnen, die ganze

Bildfläche einem übergreifenden Rhythmus unterzuordnen und damit auf seine Weise den philosophischen Satz ›Alles ist eins‹ in die Anschauung gehoben. Lineare und farbliche ›Energien‹ herrschen, Angleichung und Durchdringung, d. h. Transparenz, der Mittel führen zu einer Ambivalenz der gegenständlichen Bedeutungen und damit zu einer Verschmelzung organischer und anorganischer Formen. Mitunter prägt Marc Sätze von lapidarem Klang: »Die Sehnsucht nach dem unteilbaren Sein, nach Befreiung von den Sinnestäuschungen unsres emphemeren Lebens ist die Grundstimmung aller Kunst.« Oder er zieht in einer Frage einen wirkungsvollen Vergleich: »Wie ist es nur möglich, daß dieselben Menschen, die sich nicht über Dürers Arabesken oder die gotischen Gewandfalten zu wundern scheinen, wütend werden über die Dreiecke, Scheiben- und Röhrenformen unsrer Bilder? Müssen diese nicht voll sein von Drahten und Spannungen, von den wunderbaren Wirkungen des modernen Lichtes, von dem Geist der chemischen Analyse, die die Kräfte zerlegt und eigenmächtig verbindet? ...«

Das undatierte Fragment über ›Das abstrakte Theater‹ (Nr. 13, Abb. 22) muß kurz vor Kriegsausbruch geschrieben worden sein. Es entsprach der Mitwirkung Marcs an den Plänen Hugo Balls, des Dramaturgen der Münchner Kammerspiele, für das ›Expressionistische Theater‹. Briefen und Tagebüchern dieses revolutionären Denkers ist zu entnehmen, daß hier Vorstellungen der Frühromantik über die Synthese der Künste auf neuer Stufe fortgeführt werden sollten.[13] Marcs weitausholende, schwer zu Papier gebrachten Ausführungen blieben unvollendet: der Ausbruch des Weltkrieges verhinderte die weitere Arbeit. Doch erfahren durch diese theoretischen Erörterungen zwei zauberhafte Figurinen zu Shakespeares ›Tempest‹ mittelbar ihre richtige Datierung; in der Rückführung der Formen auf geometrische Grundfiguren nehmen sie – bei allem Lyrismus – gestalterische Gedanken Oskar Schlemmers und der Bauhausbühne vorweg (Abb. 20 und 21).

III

Die im dritten Teil des Bandes vereinten neun Stellungnahmen zeigen Marcs Eingreifen in den künstlerischen Meinungsstreit. Wir hätten auch den ›Anti-Beckmann‹ (Nr. 6) hier einordnen können, doch war dieser ja nur eine aufgezwungene Replik im Zusammenhang mit einem eigenen unpolemisch gemeinten Artikel. Die früheste öffentliche Stellungnahme zu aktuellen Ereignissen des Kunstlebens fiel in dasselbe Jahr 1910, in dem der Maler über sein Schaffen nachzudenken veranlaßt wurde (Nr. 14). Die ›Neue Künstlervereinigung München‹ hielt im September in Thannhausers Moderner Galerie eine Ausstellung ab. Schon ein Jahr zuvor war die erste Veranstaltung der im Januar 1909 gegründeten Gemeinschaft in der Presse lächerlich gemacht worden.[14] Jetzt wurden die Kommentare noch bissiger. So schrieb der Berichterstatter der Münchner Neuesten Nachrichten eine Kritik, deren Gehässigkeit kaum zu überbieten war: »Diese absurde Ausstellung zu erklären, gibt es nur zwei Möglichkeiten: entweder man nimmt an, daß die Mehrzahl der Mitglieder und Gäste der Vereinigung unheilbar irrsinnig ist, oder aber, daß man es mit schamlosen Bluffern zu tun hat, denen das Sensationsbedürfnis unserer Zeit nicht unbekannt ist und die die Konjunktur zu nutzen versuchen . . .«[15] Marcs spontane Verteidigung, die übrigens schon vor der Kenntnis dieser Kritik verfaßt wurde, war für die Künstler der Vereinigung – wie aus den Briefen Adolf Erbslöhs entnommen werden kann – ein erfreulicher Zuspruch; sie bewies ihnen, »daß es doch einige wenige Menschen gibt, die Verständnis für unsere Bestrebungen haben«. Aber auch der Schreiber trug einen Gewinn davon, denn erst durch die Korrespondenz mit Erbslöh wurde er dazu veranlaßt, »an Stelle des Dekorativen den Rhythmus« zu setzen (Abb. 30–35).[16]

Im Frühjahr 1911 fühlte sich Marc zu einer neuen Aktion aufgerufen (Nr. 15). Reinhard Piper hat die Gründe dafür in seinen Erinnerungen berichtet: »Damals erschien bei Eugen Diederichs die Schrift des Worpsweder Malers Carl Vinnen, die gegen den Ankauf eines van Gogh durch die Bremer Kunsthalle protestierte, dann sich aber gegen die angebliche Überschätzung der französischen Malerei und gegen die Tätigkeit der fortschrittlichen Galerieleiter überhaupt richtete. Vinnen hatte eine Menge Maler auf die Beine gebracht, die sich durch diese Überschätzung geschädigt glaubten . . . Hugo von Tschudi, der kühne Umgestalter der Nationalgalerie, war aus Berlin verdrängt worden und hatte seine Tätigkeit an den Münchner Pinakotheken eben erst aufgenommen. Auch gegen ihn richtete sich der Angriff, ebenso gegen das Wirken Meier-Graefes. Eine Zurückweisung war unumgänglich. Marc war zugleich mit anderen sehr bemüht, Beiträge wirklich Maßgebender zusammenzubringen. Daraus ergab sich die Schrift: ›Deutsche und französische Kunst‹. Sie ging in ihrer Bedeutung weit über den Anlaß hinaus und ist ein wichtiges Dokument zur Zeitgeschichte geblieben.«[17] Marc verwahrte sich in seiner Antwort zunächst gegen den Vorwurf, »unpatriotisch« zu sein. Ja es ist bezeichnend, daß er sich zwar gegen diejenigen zeitgenössischen deutschen Maler und deren Bilder wandte, die ihm »leer und von äußerlicher Mache« erschienen, aber die Maler der Romantik hervorhob, die damals gerade erst der Vergessenheit entrissen worden waren: ». . . Daß es nicht der dekorative Gehalt der französischen Bilder ist, der die deutschen schlägt, sondern lediglich der innerliche, künstlerische, können wir Deutsche uns zu unserer Beschämung daran demonstrieren, daß wir an Stelle der gedachten modernen Deutschen beispielsweise einmal Kobell, Runge, Bürkel, Wagenbauer, Kaspar D. Friedrich, Blechen, Rethel, Joh. Adam Klein und Schwind zwischen die Franzosen hängen – unsere Deutschen werden leise altmodisch klingen, aber die Innerlichkeit dieser Meister wird mit erstaunlicher Gewalt neben den modernsten Franzosen bestehen. Echte Kunst bleibt immer gut.« Und in gleicher Weise suchte Marc auch seine Wertschätzung der außereuropäischen Frühkulturen zu begründen: »Ebenso ist unsere Liebe zu den Primitiven nicht eine Laune, sondern der tief sehnsüchtige Traum, das längst vergessene einfache Verhältnis vom Menschen zur Kunst wiederherzustellen.«

Der ›Sonderbund Westdeutscher Kunstfreunde und Künstler‹ plante nach den Worten von August Macke eine »tolle moderne Riesenausstellung als Antwort auf die Vinnengeschichte«. Diese denkwürdige Ausstellung fand im Frühsommer 1912 in Köln statt und ist in die Annalen der Kunstgeschichte eingegangen. Doch wird dabei meist vergessen, daß eben der ›Protest Deutscher Künstler‹ das auslösende Element war. Marc, der doch an der Gegenschrift maßgebend beteiligt gewesen ist, mußte um so mehr durch das Vorgehen der Kölner Jury verletzt sein. Bei der Auswahl der einzuschickenden Werke war er darauf bedacht gewesen, »einen klaren künstlerischen Gedankengang« seines Schaffens zu vermitteln. Die ›Große Landschaft mit Pferden und Esel‹ (Abb. 11), die er als Zusammenfassung seiner malerischen Ideen ansah, war dem Richterspruch zum Opfer gefallen. Ähnlich war es den übrigen Münchnern ergangen. Daraufhin faßten diese – Marc, Kandinsky, Jawlensky, Werefkin, Münter, Campendonck und Bloch – den Entschluß, die zurückgestellten Bilder bei Herwarth Walden in Berlin zu zeigen. Marc schwang sich in ehrlicher Entrüstung zum Sprecher auf. Hastig niedergeschrieben, war seine kurze im STURM erschienene Begründung freilich angreifbar (Nr. 16). Wohl ließ sich kaum etwas gegen die Feststellung sagen: »Durch ungleiche Gewichtsverteilung werden alle Urteile und Maße verzerrt . . . alles von uns dort ist Bruchteil.« Doch mußte sein Satz Widerspruch erregen: »Wir Maler schaffen nicht so sehr Bilder als Ideen, und wir allein sind berufen, unsere Ideen vorzutragen, wie wir es für richtig halten.« Der Künstler sah sich veranlaßt, in der folgenden Nummer der Zeitschrift nochmals ›Zur Sache‹ zu sprechen (Nr. 17); er suchte seine Worte zu präzisieren, allerdings ohne daß er diesmal hätte überzeugen können: »Nicht die einzelnen Bilder sind dem Gegenwartsmenschen Selbstzweck und Hauptsache, sondern die Ideen, der Ideenkomplex, den die einzelnen Werke bilden.« Was er meinte, war dies: In dem großen Umbruch der Gegenwart darf sich die Kunst nicht in die Gefilde des bequemen ›l'art pour l'art‹ zurückziehen, sondern muß etwas spüren lassen von den bewegenden Kräften der Zeit.

Das wichtigste Thema der Kunstgespräche dieses Jahres 1912 war indessen der Futurismus. Marcs erste öffentliche Stellungnahme darf als typisch für den Maler gelten (Nr. 18). Sein Gerechtigkeitsgefühl zwang ihn, einem Menschen beizuspringen, dem vermeintlich Unrecht zugefügt worden war. Unter der Überschrift ›Pechsteins Pech‹ hatten die Münchner Neuesten Nachrichten von einem Ulk berichtet, den sich Barmer Künstler erlaubt hatten: In futuristischer Manier gefälschte Zeichnungen waren dem Führer der Berliner Neuen Sezession mit der Bitte um Beurteilung vorgelegt worden, und dieser hatte sie gutgläubig ernstgenommen, interessant und anregend genannt. Obwohl Pechstein nicht zum engeren Freundeskreis gehörte, schrieb Marc spontan eine ›Erwiderung‹, die die Zeitung hämisch als »Beitrag zur heutigen ästhetischen Zerklüftung« brachte. Für ihn enthüllte sich die gelungene Düpierung als »ein überraschender Beleg für die Kraft futuristischer Gedanken ... die auch durch Nachahmungen hindurch ihren Ideenwert behalten und anzuregen vermögen«. Dann ging er über den unwichtigen Anlaß hinweg und erhob seine Stimme zur Verteidigung der Futuristen insgesamt: »Anregungen aber geben die Jung-Italiener uns Deutschen unbedingt, pro et contra. Wir werden diesen italienischen Neuerern noch Dank wissen, daß sie mit malerischen Ideen hervorgetreten sind, die zu äußern Mut und Kraft gehört und die die Deutschen sicher in irgend einer Form ihrem Denken assimilieren werden. Das Gelächter, das man vor ihnen anstimmt, gleicht sehr dem bekannten Lachen des Bauern und ist billiger als Nachdenken.«[18] Noch ein zweites Mal ergriff er das Wort für die Bewegung (Nr. 19). Im STURM setzte er sich kurz mit dem Vorwurf auseinander, bei diesen Bildern fehle die ›peinture‹ im Sinn der französischen Malerei. Marc stellte dem das italienische Wort ›pittura‹ entgegen und zitierte aus dem Katalog längst berühmt gewordene Bilderklärungen: »Wenn man ein Fenster öffnet, tritt der ganze Lärm der Straße, die Bewegungen und die Gegenständlichkeit der Dinge draußen plötzlich in das Zimmer« – »Die Macht der Straße, das Leben, der Ehrgeiz, die Angst, die man in der Straße beobachten kann, das erdrückende Gefühl, das der Lärm verursacht.« Er schloß mit den Worten, denen nichts hinzuzufügen ist: »Und solche Dinge zu malen, gelang den Futuristen, vorzüglich sogar. Carrà, Boccioni und Severini werden ein Markstein der Geschichte der modernen Malerei sein. Wir werden Italien noch um seine Söhne beneiden und ihre Werke in unseren Galerien aufhängen.«

Die im STURM veröffentlichte ›Notiz‹ (Nr. 20) mag den Leser zunächst befremden, denn man wird Marcs Ankündigung eines gerichtlichen Vorgehens als unangemessen empfinden. Doch sie muß im Zusammenhang mit den damals in Berlin stattgefundenen Kunstkämpfen gesehen werden. Auf der einen Seite stand der potente und etablierte Verlag Paul Cassirer; Karl Scheffler als Herausgeber der vornehmen Zeitschrift ›Kunst und Künstler‹ war Parteigänger der deutschen Impressionisten um Max Liebermann. Die Gegenseite vertrat der unbemittelte Avantgardist Herwarth Walden mit dem auf billigem Papier gedruckten STURM, der sich für die junge Malerei und Literatur einsetzte. Schefflers »trauriger« Artikel über ›Die Jüngsten‹ ging denn auch von der Maxime aus: »Der Impressionismus ist eine der klassischen Epochen der Malerei.« Aber in jeder Vollkommenheit seien die Möglichkeiten der Entartung schon vorgezeichnet. Doch die französischen Neuerer stünden noch in den klassischen Traditionen, die deutschen hingegen entbehrten der Meisterwerke des Louvre, »darum erscheinen ihre revolutionären Bildornamente oft so ungerechtfertigt.« Als schlimme Beispiele werden Pechstein, Nolde, Kokoschka charakterisiert. »Mit mehr Kraft tritt aus dem Getümmel sodann Marc in einigen seiner assyrisch beeinflußten Tierdarstellungen hervor.« Als Abschluß werden nochmals drei Maler genannt: Erbslöh, Kandinsky, Deusser. Dennoch hätte sich Franz Marc wohl kaum gegen diese Kritik zur Wehr gesetzt, wenn ihr nicht als einzige Abbildung die Reproduktion seines Blattes ›Ruhende Kühe‹ (Abb. 10) beigegeben worden wäre, das zwar im Sonderbund ausgestellt gewesen war, aber seine Malerei nur höchst unzureichend repräsentierte. Ähnlich war die Redaktion der von Franz Pfemfert herausgegebenen ›Aktion‹ verfahren: Man hatte ein Aquarell nach vergröbernder Umzeichnung reproduziert und noch dazu als Holzschnitt bezeichnet; auch hier sah der Künstler sein Werk verfälscht (Abb. S. 220).[19]

Mit dem Ersten Deutschen Herbstsalon 1913 wollte Walden einer Absicht Cassirers zuvorkommen, nach dem Vorbild des Pariser ›Salon d'automne‹ eine umfassende Schau der Gegenwartsmalerei zusammenzustellen, die – selbstverständlich – die ›Jüngsten‹ ausgeschlossen hätte. In der Tat wurde der Berliner Herbstsalon der größte internationale Erfolg Waldens. Der Katalog bietet noch heute ein eindrucksvolles Bild dieser Bemühungen. Das kurze Vorwort trägt die Handschrift Marcs, der sich zusammen mit August Macke auch in der ›Hängekommission‹ betätigt hatte (Nr. 21, Abb. 16, 17, 19).

Der letzte Beitrag dieses Kapitels führt uns mitten in die Kämpfe hinein, die Kandinsky und seine ›absolute‹ Malerei zu bestehen hatten. Will Grohmann, der Biograph des Künstlers, berichtet darüber: »Der Zorn ergoß sich über ihn mit den gröbsten Worten und anläßlich einer kleineren Ausstellung Januar bei Bock in Hamburg bezeichnete das ›Hamburger Fremdenblatt‹ seine Malerei als ›Idiotismus‹ ... Mit bemerkenswerter Einmütigkeit unterzeichneten die führenden Geister Deutschlands einen Protest gegen die Verrohung der Kritik ... Unterschrieben hatten Künstler, Museumsdirektoren, Kunstgelehrte, Schriftsteller aus Deutschland und dem Ausland.«[20] Sammelpunkt und Sprachrohr dieser Verteidiger Kandinskys war wiederum Walden mit seinem STURM. Er hatte die Beschimpfung durch ihren Abdruck angeprangert und er veröffentlichte auch die gegnerischen Stimmen. Unter denen, die »allerschärfsten Protest« erhoben und »dem Beleidigten ihre Sympathie« aussprachen, waren die Maler Bechtejeff, Campendonck, Jawlensky, Klee, Kokoschka, Macke, Werefkin; die Wissenschaftler Behne, Braune, Eberhard Grisebach, Hausenstein, Reiche; die Sammler Koehler und Alfred Mayer, der Musiker Schönberg und der Dichter Döblin; aus Frankreich kamen die Unterschriften von Arp, Apollinaire, Delaunay, Gleizes, Léger, aus Italien von Marinetti. Es war für Marc selbstverständliche Freundespflicht, auch seine Stimme zu erheben (Nr. 22). Seine Worte wurden dem ihn empörenden Anlaß zufolge eher ein bekenntnishafter Hymnus auf den Menschen als eine theoretisch begründete Abhandlung über die gegenstandslose Malerei. Aus ihnen sprach ein unbedingter Glaube an den geschichtlichen wie künstlerischen Rang Kandinskys. Marc rückte die integre Persönlichkeit des Angegriffenen in den Vordergrund. Anschließend stellte er jedoch einige Betrachtungen über den schöpferischen Vorgang an und über jenes geheimnisvolle Ziel der Gestaltung, das Baumeister später ›Das Unbekannte in der Kunst‹ nennen wird.

IV

Die im vierten Teil gesammelten Schriften sind im Zusammenhang mit der Publikation des Blauen Reiters entstanden. Der Almanach, als erstes Buch eines »in zwangloser Reihe« erscheinenden Organs geplant, hat längst seinen Rang als die bedeutendste Programmschrift der Kunst des 20. Jahrhunderts erobert. Die drei Essays Marcs, die in den ersten und einzigen Band aufgenommen wurden, sind denn auch seine bekanntesten geworden. Sie stehen am Anfang, während umfassende Abhandlungen von Kandinsky, die die Quintessenz seiner Kunstgedanken enthalten, als gewichtiger Schlußakkord am Ende des Bandes stehen. So rahmen die Beiträge der beiden Herausgeber als Eckpfeiler die Arbeiten der übrigen Autoren ein. Durch eine Fülle von Dokumenten sind wir über die Entstehung des Bandes und damit auch über Marcs entscheidenden Anteil unterrichtet. Die drei Essays sind während der Monate September und Oktober 1912 dicht nacheinander, wenn auch nicht in der abgedruckten Reihenfolge entstanden.[21]

Den Artikel ›Geistige Güter‹ bezeichnete Marc im Text als »Einleitung«. Kandinsky erhielt das fertige Manuskript im Oktober übersandt (Nr. 25). Ihn erfreuten »der herzliche Ton und der Gedanke«, und er ermunterte den Freund sogar zu kräftigeren Worten: »So viel ich beurteilen kann, würde ein mutigerer Ton die Wärme nur heben, stärker herausklingen lassen. Die Sache ist sympathisch und lebendig, wie alles, was Sie schreiben.«[22] Diese Bemerkung bezog sich vor allem auf die Passagen, die der Persönlichkeit Hugo von Tschudis gewidmet waren. Anknüpfend an zwei vieldiskutierte Fälle des kunstpolitischen Tageskampfes, gibt Marc in diesem Essay seiner Enttäuschung darüber Ausdruck, wie schwer es sei, »seinen Zeitgenossen geistige Geschenke zu machen«. Diese »allgemeine Interesselosigkeit der Menschen für neue geistige Güter« sei auch die Hauptgefahr für die nunmehr vorgelegte Publikation. Schon in den einleitenden Zeilen wird also deutlich gemacht, daß hier nicht allein neue Bilder, sondern auch neue Ideen propagiert werden sollen. Das Eintreten Tschudis und Meier-Graefes für Künstler und Kunstrichtungen, die mit den geltenden Gesetzen der normativen Ästhetik nicht mehr zu begreifen waren, wird als Beweis für die Richtigkeit der eigenen Ziele des Blauen Reiters angesehen. In Cézanne und Greco, den »Geistesverwandten über die trennenden Jahrhunderte hinweg«, erscheinen dem Verfasser die ähnlichen Gedanken beispielhaft verkörpert. Als Verkünder einer »neuen Epoche der Malerei« glaubt er, sich auf sie berufen zu dürfen. Denn – und hier fällt eines der erhellenden Stichworte, wie sie nur genialen Menschen gelingen: »Beide fühlten im Weltbilde die mystisch-innerliche Konstruktion, die das große Problem der heutigen Generation« sei. In diesem von Marc geprägten Begriff der »mystisch-innerlichen Konstruktion« ist das Geheimnis der großen Kunstwende erfaßt: die Abkehr von der Scheinwirklichkeit der Oberfläche, das Bemühen um die diaphane Struktur und zugleich das doppelte Gesicht der neuen bildnerischen Elemente, welche Gefühl und Verstand gleichermaßen umspannen.

Kunstgeschichtlich ist die Gleichstellung der zwei Meister aufschlußreich. Galt Cézanne den Jüngeren längst als Stammvater der Moderne, so war die Begeisterung für Greco neuesten Datums und hatte einen bestimmten Anlaß. Zur Zeit der Niederschrift des Artikels waren mit der Sammlung Nemes, Budapest, auch acht Gemälde des Spaniers in München ausgestellt. Die Bilder bewirkten eine Sensation. Paul Klee, der sich damals durch Berichte in der Schweizer Zeitschrift ›Die Alpen‹ einen Nebenverdienst erarbeitete, schrieb von dem »Strom der Pinakothekbesucher..., der sich hinten bei Greco zum tiefen See staut. Der Begriff von diesem Meister wird hier angesichts der 10 Originale weiter und prägnanter zugleich, als nach dem einzigen staatlichen Bild oder dem sonst etwa durchgesickerten Reproduktionsmaterial möglich war ... Sehr stark, zuerst sogar am stärksten, wirkt die Szene am Ölberg.«[23] Marc ist unabhängig von Klee, den er zu dieser Zeit noch nicht kannte, von dem genannten Gemälde beeindruckt worden und hat es in einer bisher unveröffentlichten Zeichnung skizziert (Abb. 28 u. 29).

Tschudis Tod am 26. November 1911 nötigte Marc zu einem Nachwort des Essays ›Geistige Güter‹. Die tatkräftige Unterstützung, die jener einst den Künstlern der Vereinigung und nun den Herausgebern des Almanachs gewährt hatte, gab den beiden Freunden den Anlaß, dem Verstorbenen öffentlich zu danken und ihm das Buch zu widmen.

Der Beitrag über ›Die Wilden Deutschlands‹ (Nr. 23) nimmt in seinem Titel Bezug auf denjenigen Burljuks über ›Die Wilden Rußlands‹ – und auf den geplanten, jedoch nicht gelieferten von Le Fauconnier über ›Die Wilden Frankreichs‹. Er spielt auf die damals bereits zum Schlagwort gewordene Bezeichnung des Kreises um Matisse als ›Fauves‹ an und gibt einen kurzgefaßten Überblick über die parallelen Strömungen in Deutschland. Die Bemerkungen über die Dresdener ›Brücke‹ und die Berliner ›Neue Sezession‹ sind allgemein gehalten, aber die Geschichte der ›Neuen Künstlervereinigung‹ München wird ausführlich erwähnt. Diese Sätze verdienen besondere Aufmerksamkeit, denn – offenbar noch vor dem endgültigen Bruch niedergeschrieben – geben sie zugleich eine Vorgeschichte des ›Blauen Reiters‹. Der Begriff ›Synthese‹, gegen dessen allzu häufige Zitierung Marc Bedenken anmeldet, stand programmatisch im Gründungszirkular der Vereinigung und entstammt letztlich der französischen Kunsttheorie um 1890. Wie schon im voranstehenden Aufsatz wird betont, »daß die Erneuerung nicht formal sein darf, sondern eine Neugeburt des Denkens ist«, und auf die Mystik als Grundlage des künstlerischen Schaffens verwiesen. Dann folgt ein Satz, der – oft zitiert – das Ziel der neuen Malerei in gültigen Worten formuliert: »Die schönsten prismatischen Farben und der berühmte Kubismus sind als Ziel diesen ›Wilden‹ bedeutungslos geworden. Ihr Denken hat ein anderes Ziel: durch ihre Arbeit ihrer Zeit Symbole zu schaffen, die auf die Altäre der kommenden geistigen Religion gehören und hinter denen der technische Erzeuger verschwindet.«

In ›Zwei Bilder‹ (Nr. 24, Abb. 36 und 37) stellt Marc ein Gemälde Kandinskys aus dem Jahr 1911, also eine der neuesten Schöpfungen des Künstlers, der volkstümlichen Illustration eines Märchens aus der Romantik gegenüber. Er sieht diese Konfrontierung als eine »Feuerprobe« für den Wahrheitsgehalt des modernen Bildes an, denn »Echtes bleibt stets neben Echtem bestehen, so verschieden auch sein Ausdruck sein mag«. Zugleich dient ihm die Verknüpfung dazu, die innere Nähe der neuen Bewegung zur Romantik zu betonen und in wenigen Strichen die Entwicklung des 19. Jahrhunderts zu umreißen. Aus dieser überraschend klar angedeuteten Entwicklung resultiert für ihn nicht nur der Verlust eines verbindlichen ›Stils‹, sondern die Unausweichlichkeit der »heutigen Isolierung der seltenen echten Künstler«. Nach Marcs Worten sind die modernen Werke »eigenwillige, feurige Zeichen einer neuen Zeit, die sich heute an allen Orten mehren. Dieses Buch soll ihr Brennpunkt werden, bis die Morgenröte kommt und mit ihrem natürlichen Lichte diesen Werken das gespenstige Ansehen nimmt, in dem sie der heutigen Welt erscheinen. Was heute gespenstisch scheint, wird morgen natürlich sein.«

Den Subskriptionsprospekt (Nr. 26, Abb. 14) fand Klee so wichtig, daß er ihn in seinen Berichten erwähnt hat: »Der Blaue Reiter kündigt seine Bücher, die in zwangloser Folge bei Piper erscheinen werden, in seinem Prospekt als Ruf an, der die Künstler sammelt, die zur neuen Zeit gehören. Die Neuheit des heute Gefühlten und Geschaffenen soll in ihrem Zusammenhang mit früheren Zeiten und Stadien aufgedeckt werden, Volkskunst, Kinderkunst wird versprochen, Gotik bei uns und im Orient, Afrika.«[24] Kurios ist eine Beobachtung zur Gestaltung des Faltblattes. Diesem war als Bildschmuck der Holzschnitt eines ›gotischen‹ Ritters beigegeben, der im Buch einen programmatischen Ausspruch Goethes über das Fehlen eines »Generalbasses« der Malerei begleitet. Dieser Holzschnitt wurde in der Folgezeit als Nachahmung des 19. Jahrhunderts erkannt. Er muß gleichwohl die Einbildungskraft der expressionistischen Generation beflügelt haben, so daß wir fast von einem ›schöpferischen Mißverständnis‹ sprechen können.

Die Verbindung zwischen dem Band und den Ausstellungen der ›Redaktion des Blauen Reiters‹ wird in dem leicht veränderten Wiederabdruck einiger Absätze aus ›Zwei Bilder‹ in der zweiten Auflage von Waldens Katalog deutlich, denn nach Marcs Worten sei es »entschieden besser, wenn der Katalog einigen Text enthält« (Nr. 27). Diese neue Auflage war im Oktober 1912 unumgänglich geworden, nachdem die Bilder zum größten Teil ausgewechselt worden waren. Durch den Entwurf zu einer Vorrede für den geplanten zweiten Band aus dem Februar 1914 (Nr. 28) und das Vorwort zur zweiten Auflage des Almanachs vom März 1914 (Nr. 29) wird der Leser in die Überlegungen und Spannungen am Vorabend des Weltkrieges einbezogen. Wie bekannt, kam es zwar zu einer zweiten Auflage des ersten und einzigen Buches, jedoch nicht zur Fortsetzung der Reihe. Kandinsky hat später nur den äußeren Ereignissen Schuld gegeben, daß die gemeinsame Arbeit nicht fortgeführt werden konnte.[25] Jedoch ist eine fruchtbare Begegnung zweier kongenialer Künstler stets eine kurze ›Sternstunde‹, die – unbeschadet ihrer geschichtlichen Wirkung – schnell dahingeht. Schon bei Marc lassen sich Zweifel an dem Sinn solcher Publikation nicht überhören: »Wann wir uns zum zweiten Buche sammeln werden, wissen wir nicht . . . « Ebenso wird in der pathetisch-prophetisch klingenden Sprache die Vorahnung kommenden Unterganges offenbar: »Die Welt ist zum Ersticken voll . . . « So hat der Künstler denn aus dem Felde resignierend an Maria geschrieben: » . . . Ja, das Blaue Reiter-Buch! Damit hast Du völlig recht; buchtechnisch und als ›Klang‹ äußerlich ganz verfehlt und innerlich verworren, weil voll Rücksichten und Verbeugungen vor Dingen, die im Grunde nicht das Geringste mit unserer persönlichen schöpferischen Aufgabe zu thun haben. Ich werde auch nie an etwas Ähnlichem . . . wieder mitarbeiten, sondern möglichst allein Dinge ›bilden‹ . . . «[26]

V

Das letzte Kapitel vereinigt die Aufzeichnungen aus der Kriegszeit. Der Nachruf auf August Macke, der schon im zweiten Monat der Kämpfe fiel, steht voran (Nr. 30, Abb. 23). Macke war als Führer eines Infanteriezuges in vorderster Linie vermißt worden, man hatte zunächst gehofft, er wäre zwar verwundet, aber lebend in Feindeshand gefallen. Doch als eine Nachricht von der anderen Seite ausblieb, mußte man mit seinem Tod rechnen. Die verzweifelte Gemütslage des Freundes wird in einem Brief an Maria deutlich: »Augusts Tod ist mir so furchtbar, wie ich es innerlich verwinden und mich äußerlich dazu stellen soll, – letztes ganz wörtlich: die nackte Thatsache will einfach nicht in meinen Kopf. Ich zitterte die letzten Tage wirklich in Angst um ihn, ich schrieb auch Lisbeth kurz. Ich fühlte in diesen Tagen, daß meine Nerven angegriffen sind, – und heute, wo ich von Dir die bestimmte Nachricht habe, ist mein Bewußtsein ganz dumpf und stumpf. Ich will wenigstens in ein paar Worten Lisbeth schreiben; zu einem Nachruf bin ich, glaub ich, in diesen Tagen nicht imstande; in einiger Zeit mache ich es sicher. Ich fühle tief, wie ich an August hing; meine künstlerischen Bedenken sind ja dabei ganz belanglos; Tagesstimmungen; der Mensch war doch tausendmal mehr und war zu *allem* reif, zu *jedem* Gedanken, mit denen ich nun allein ringen werde . . . «[27] Schon zwei Tage später überwand Marc die lähmende Trauer und verfaßte die berühmt gewordenen Zeilen. Mit ›Herzblut‹ geschrieben, beklagen sie den Verlust für die zukünftige künstlerische Kultur, schildern das helle strahlende Wesen des »jungen Macke« und stellen dabei den Menschen über den Maler. Die Worte bewegen uns noch heute, und unwillkürlich beziehen wir sie auch auf den Tod Marcs, der sich mit ihnen zugleich die eigene Grabschrift gesetzt hat.

Die folgenden drei Aufsätze sind in geringem zeitlichen Abstand zu Ende des Jahres 1914 entstanden, zwei davon erschienen in der Presse: ›Im Fegefeuer des Krieges‹ in der Vossischen Zeitung (Nr. 31), ›Das geheime Europa‹ in Das Forum (Nr. 32). Den dritten Artikel zog der Künstler auf Anraten Marias zurück (Nr. 33): » . . . ich bin ganz zufrieden, wenn er *nicht* gedruckt wird. Die Gedanken über das Europäertum sind halb; wie Du ganz richtig sagst; auch noch zu sehr hinter dem europäischen Zaun, und eigentlich *nicht meine Sache.* Das ist mir der Hauptgrund, ihn nicht zu drucken . . . «[28] Schon vorher hatte Marc Zweifel gehabt: » . . . ich bin in seiner Beurteilung ebenso unsicher als seinerzeit beim ersten. Er birgt jedenfalls sehr viel, meinem Gefühl nach an manchen Stellen zu viel und doch wußte ich's nicht zu ändern. Ich kann im

Felde nicht anders schreiben, weitläufiger und begründeter. Er ist in unruhiger Zeit geschrieben und für sie gedacht. Der gute Wille wird aus ihm schon lernen können; mich hat er jedenfalls im Denken unendlich weitergebracht und gefördert und Dir wird er, glaube ich, auch vieles sagen können. Ohne den Krieg wären alle diese Gedanken nicht ›denk‹-bar, z. T. noch gar nicht vorhanden.«[29] Bei der Übersendung des zweiten Artikels schrieb er: » . . . Natürlich fehlt mir hier die Ruhe, Form und Ausdruck ganz auszuarbeiten, vor allem die Stille, um das ganze Gedankengefüge auszubalancieren. Ich muß mir meine Arbeitsstunden zu sehr stehlen. Aber doch möchte ich es gedruckt wissen, eben jetzt, in dieser zeitgemäßen Stunde, in der alle bloß an das Heute und Morgen denken . . . «[30]

Es kann nicht die Aufgabe unserer Einführung sein, ausführlich die Gedankengänge dieser Aufsätze zu erörtern; das ist an anderer Stelle versucht worden. Der Leser sollte stets bedenken, unter welchen seelischen und körperlichen Belastungen sie abgefaßt wurden. Nietzsches übermächtiger Einfluß, soziale Ideen des liberalen Bürgertums, utopische Vorstellungen von der Macht des Geistes über den Stoff und von der Überwindung des Materialismus, der Glaube an die exakten Wissenschaften: all dies war in Marc geradezu exemplarisch für die gebildete Jugend des wilhelminischen Deutschland lebendig. Die Gewißheit, für eine gerechte Sache zu kämpfen, und durch diesen Kampf ein besseres Europa heraufführen zu helfen, teilte der Künstler ebenso mit seinen Altersgenossen.

Die Bemerkungen über Tolstoi (Nr. 34) waren nicht im mindesten zur Veröffentlichung vorgesehen. Im Frühjahr 1915 ließ sich Marc einen Band des Russen ins Feld schicken, den er schon im Frieden gelesen hatte: ›Was ist Kunst?‹ – 1911 in deutscher Übersetzung erschienen. Nach mehrmaligem Lesen füllte er ihn nicht nur dicht mit Randglossen, sondern legte auch Zettel mit längeren Kommentaren zwischen die Seiten.[31] Diese Aufzeichnungen, in denen er wieder einmal Fragen der Kunst nachgehen konnte, ergänzen seine brieflichen Äußerungen. Obwohl seine Gedanken der Gliederung des Buches folgen und schon insofern nicht ein Ganzes für sich bilden, enthalten sie doch wichtige Äußerungen. Tolstoi habe »mit vielen irrigen oder nur halbrichtigen Voraussetzungen« gearbeitet, und dies führe zu »endlos langem Gerede über Ästhetik« (zu S. 57). »Das *Wesentliche* ist nicht, ob sich ein Werk formal und gegenständlich an wenige oder viele richtet, also die soziale Seite und ihre Nützlichkeit und mögliche Nutzbarmachung und Allgemeinverständlichkeit, sondern gerade *ihre absolute Freiheit von dem allem,* die Stärke des *Weltgefühls* (das nicht aus Mitleid, Trost oder Anfeuerung, Freude und Hingabe an den Nächsten besteht, – dies alles sind nur Stücke, Teilgefühle, nicht das Entscheidende im künstlerischen Wirken), sondern das *visionäre Schauen,* das sich gar nicht erklären und in soziale Formen, überhaupt nicht in Wort-Erklärungen zwängen läßt. Bach ist das nächstliegende und erhabenste Beispiel; er war wahrscheinlich ein guter Christ seiner Zeit, aber sein künstlerisches Weltgefühl und dessen Gestaltung ist Intuition, ist *innere Kraft,* wie Mallarmé's Weltgefühl *innere Schwäche ist*« (zu S. 116). Besonders widersprach Marc der Vorstellung vom Wesen wahrer Kunst fürs Volk: »Tolstoi will ... nur reine Volkskunst als nützlich, notwendig und wahr gelten lassen und die Welt sozial so vereinfachen, daß man damit auskommt; aber er wird keine starke, edle, arbeitende Periode finden, in denen die Menschheit damit ausgekommen ist« (zu S. 141). Später zog er den Trennungsstrich zwischen dem »Begriffswirrwarr« Tolstois (zu S. 106) und der eigenen Auffassung von der Kunst noch schärfer. Als ihn die Lektüre von Gerhart Hauptmanns Roman ›Der Narr in Christo Emanuel Quint‹ fesselte, schrieb er seiner Frau: »... wenn ich Dir einen Rat geben sollte, wäre er: lege den höchst mißverständlichen, weil immer sophistischen Tolstoi zur Seite; ich will gar nicht anzweifeln, daß Tolstoi dasselbe im Herzen will wie Hauptmann, aber er ist sprachlich, d.h. in seiner *Logik, eitel;* ich fühle das absolut sicher, so oft ich ihn lese; er ist tendenziös und darum trotz seines ehrlichen Ringens unrein«[32].

Als Marc den ›Tolstoi‹ las und kommentierte, waren ›Die 100 Aphorismen‹ (Nr. 35, Abb. 24 u. 25) bereits geschrieben. Sie sind die reifste schriftstellerische Arbeit des Malers, hier trug die ›aphoristische‹ Sageweise ihre Früchte. Marc verfaßte sie in relativer Ruhe »zu Vierfünftel ... in einem kleinen Zimmerchen ... in dem es keinen Platz zu einem Tisch gab und also zum Schreiben nur das Knie!«[33] Für die Reinschrift benützte er ein noch aus dem elsässischen Hagéville stammendes kleines Notizbuch mit Formularkopf auf jeder Seite. Seinen Briefen können wir entnehmen, wie sehr die Gedanken in ihm nachwirkten, wie sehr aber auch sein eigenes Urteil darüber Schwankungen unterworfen war. Zunächst dachte er uneingeschränkt an die Veröffentlichung. Nachdem das Päckchen am 22. Februar 1915 in die Heimat abgeschickt worden war, heißt es am 5. März: »... Ich glaube nachträglich kaum, daß es nötig und gut ist, die 100 Aphorismen noch viel zu überarbeiten. Ich denke immer mehr, I. und II. und 100 sollten zusammen möglichst bald in einer Broschüre ... in einem anständigen Verlag erscheinen, eventuell unter dem

Titel: 100 Aphorismen und Aufsätze von Franz Marc. Der Titel: ›Das zweite Gesicht‹ erst im Buchtext selbst über den Aphorismen. Aufsätze voraus, also in chronologischer Folge.«[34] Drei Wochen später meditiert er: »... So denk ich mir auch meine Aphorismen; den prophetischen Ton möglichst vermeiden (höchstens daß man bei jedem Wort fühlt: Der Pfeil ist nach vorn abgeschossen, nicht nach der Seite und daß nichts darin im toten Zirkel läuft). Das Ganze als Selbstgespräch wie jedes gute Bild, die Art Bach's, dessen Musik im Grunde den Hörer nicht braucht, – im Gegensatz zu Wagner und Schönberg, deren Musik nur im Zuhörer lebt und auf dessen Seele lauert ...«[35] Am 6. April, als ein Antwortbrief Marias die Gedanken wiederum auf die Schrift lenkte, urteilt er über die Aphorismen: »Gerade sie sind für mich, sowie sie jetzt mir in der Erinnerung erscheinen, eine Art Abrechnung, ein Zum-Schluß-Kommen einer unendlich langen, mich seit Jahren quälenden Denkarbeit; das Ergebnis scheint Dir ›äußerlich‹; wörtlich genommen ist es wohl auch äußerlich, aber das äußerliche Ergebnis kann doch nach innen schlagen; ich hoffe es jedenfalls, auf Grund des Befreiungsgefühls, das ich jetzt so oft habe. Es hilft nichts, hier viele Worte zu machen; man dreht sich dabei nur im Kreise, da man mit Worten keine Werke vorwegnehmen kann.«[36]

Solche Sätze sind ein Schlüssel zum Verständnis. Letzten Endes war die Schriftstellerei für Marc nur ein Mittel zum Überleben. Sich künstlerisch zu verwirklichen und durch Bilder öffentlich zu den Problemen Stellung zu nehmen, war dem Maler im Feld verwehrt. »Gegengedanken zu bilden« – das war die einzige Rettung. So schrieb er zu Neujahr 1916: »Die Welt ist um das blutigste Jahr ihres vieltausendjährigen Bestehens reicher. Es ist fürchterlich dran zu denken; und das alles um *nichts*, um eines Mißverständnisses willen, aus Mangel, sich dem Nächsten menschlich *verständlich* machen zu können! Und das in Europa!! ... «[37]

Einen weiteren Aspekt bieten die Aphorismen, wenn wir sie in Beziehung zu den Zeichnungen des Skizzenbuches setzen, die das andere Vermächtnis aus dem Krieg sind.[38] Unmittelbar nach dem Abschluß des Manuskriptes begann Marc die Arbeit daran. Es ist erregend zu verfolgen, wie sehr sich diese Blätter und die Gedankenwelt der Aphorismen berühren. Die ›Streit‹ betitelten Blätter (Abb. 26) erscheinen wie eine Paraphrase und eine farbige Ergänzung der Vision: »Ich war von seltsamen Formen umkreist und ich zeichnete, was ich sah: harte, unselige Formen, schwarze, stahlblaue und grüne, die gegeneinander polterten, daß mein Herz vor Weh schrie; denn ich sah, wie alles uneins war und sich im Schmerz störte. Es war ein schreckliches Bild« (Aphorismus 72). Wie eine Bildbeschreibung liest sich auch ein Raumerlebnis: »Meine ausschwärmende Sehnsucht sah ein anderes Bild: Die Formen schwangen sich in tausend Wänden zurück in die Tiefe. Die Farben schlugen an die Wände, tasteten sich an ihnen entlang und entschwanden in der allerletzten Tiefe. Jeder schrie vor Sehnsucht, der dies Bild sah. Unsere Seelen zogen den Farben nach in die letzte Tiefe« (Aphorismus 74).

Die Aufzeichnungen aus dem Krieg mögen dem heutigen Leser am schwersten verständlich sein. Hier bedarf es in vermehrtem Maß eines geschärften historischen Sinnes. Allzu hurtig werden die »terribles simplificateurs« (Jacob Burckhardt) bereit sein, Marcs Haltung zum Problem des Krieges anzuprangern oder den Künstler gar einen Chauvinisten nennen – scheinbar gestützt auf Worte, die unvollständig zitiert werden. In Wahrheit war Marc von höchstem sittlichen Ernst beseelt und alles andere als ein engstirniger Nationalist; er dachte in geradezu überraschendem Ausmaß als ›Europäer‹. Freilich war auch er in den Verstrickungen jener Zeitenwende gefangen. Fast alle geistig Führenden der Nation – voran die Schriftsteller – haben den Krieg ähnlich als Befreiung und Reinigung empfunden und waren ergriffen vom Gang der Geschichte: Thomas Mann, Stefan George, Rainer Maria Rilke, Stefan Zweig, R.A. Schröder, Alfred Döblin, Robert Musil. Hugo Ball, Carl Zuckmayer und unzählige andere meldeten sich als Kriegsfreiwillige. Auch die Künstler hat das Erlebnis des gewaltsamen Ausbruchs entscheidend geprägt: von Walter Gropius bis zu Max Beckmann. Die ihr Leben auf dem Schlachtfeld verloren – August Stramm, Albert Weisgerber, August Macke und Franz Marc – stehen nur stellvertretend für diese Jugend überhaupt. Ob sich für Marc, wäre er nicht gefallen, diese quälende Problematik aufgelöst und sein hoher Idealismus einer realistischen Sicht gewichen wäre, bleibt eine theoretische Frage. Manche der letzten Äußerungen beweisen, daß er sich immer weniger Illusionen hingab.

Alle Aufsätze und die Aphorismen gehören – das muß bedacht werden – den ersten Kriegsmonaten an. Seit dem Frühjahr 1915 hat sich Marc nur noch in Briefen ausgesprochen; bis zum Juni entstanden die Zeichnungen des Skizzenbuchs, dann hörten auch seine künstlerischen Versuche auf. Zu sehr beanspruchten ihn die soldatischen Pflichten sowie die tägliche Sorge um die ihm anvertrauten Männer und Pferde, zu lähmend wurden die Eindrücke an der Front. Immer mehr erkannte er das Ausmaß der Katastrophe: » . . . ich halte aber schießen auch für nutzlos; denn es scheint wirklich, daß dieser Krieg nicht mehr durch Waffen entschieden werden kann . . . Europa geht einem furchtbar beschämenden Fiasko entgegen, – das Unvermeidliche kommt immer schneller als man denkt, – wie verprügelte Jungen wird man auseinandergehen.«[39] Und doch klammerte er sich an die Hoffnung, die bereits seine ersten Aufzeichnungen von 1914 ausdrückten: »... Der Kriegsgedanke kann natürlich nichts Gutes stiften, sondern ist eine fürchterliche Infektion. Der Krieg selbst ist aber wie jede Krankheit, im Großen gesehen, der Gesundungsprozeß, das Ausschwären, das Purgatorium, moralisch geredet: die Sühne, – so gesehen kann die letzte Folge schon eine Gesundung sein ... «[40] Aber die Sehnsucht nach einem künstlerischen Schaffen in Frieden durchzog seine brieflichen Berichte über die gesamte Kriegszeit. Das mag uns nochmals davor warnen, die schriftlichen Zeugnisse als sein eigentliches Vermächtnis zu betrachten. Als er das Schreiben in Wirklichkeit schon aufgegeben hatte, begründete er diese Aktivitäten wie zur Entschuldigung und rückte damit auch die Wertung zurecht: »Ich schreibe ja im Grunde nur, weil die Berufenen versagen und um sie zu reizen und zu wecken und letzten, und besten Endes schreibe ich überhaupt nur für mich, und was ich schreibe, bedarf notwendig der Ergänzung durch meine ungemalten! – Werke.«[41]

*

Unter dem Titel ›Briefe, Aufzeichnungen und Aphorismen‹ wurde 1920 eine Auswahl der Schriften Franz Marcs veröffentlicht. Der schmale Band gehört seither zu den Schätzen des deutschen Schrifttums und bestimmt die allgemeine Vorstellung von dem Künstler sogar mehr als das malerische Werk. Man entnimmt ihm nicht allein unwiderlegbar erscheinende Argumente zu ästhetischen und künstlerischen Fragen, sondern zitiert daraus bei vielen Gelegenheiten – selbst in Festreden. Manche Formulierungen Marcs sind zu geflügelten Worten geworden. Doch ist damit zugleich eine Quelle des Mißverständnisses gegeben. Abgesehen davon, daß auch die Briefe nur in Auswahl vorliegen, bietet jene Ausgabe von den übrigen schriftlichen Äußerungen kaum mehr als knappe Leseproben. Aus den ›100 Aphorismen‹ wurden lediglich 23 – manche davon gekürzt – aufgenommen. Obgleich seither einige weitere Aufzeichnungen bekannt geworden sind, blieb der größte Teil unzugänglich: entweder nie gedruckt oder an entlegener Stelle, mitunter fehlerhaft, publiziert.

Die Veröffentlichung sämtlicher Schriften Marcs war ein Desideratum der Wissenschaft, sie wird zugleich allen Freunden der Kunst des Meisters willkommen sein. Bei der nunmehr vorgelegten Sammlung ist Vollständigkeit angestrebt worden; alle erhaltenen Aufzeichnungen wurden aufgenommen – auch kurze oder fragmentarisch überlieferte Notizen. Der Stoff ist in Sachgruppen gegliedert; diese folgen im großen dem zeitlichen Ablauf des Lebens und sind in sich chronologisch geordnet. Ich habe in der Einführung und in den Anmerkungen auch zahlreiche unbekannte Briefstellen herangezogen, soweit sie zum Verständnis der ›Schriften‹ beitragen können. Es war mein Bemühen, nicht nur die veröffentlichten oder zur Veröffentlichung vorgesehenen Endfassungen abzudrucken, sondern auch verworfene frühere Entwürfe zu berücksichtigen, falls diese nachzuweisen waren. Wo immer möglich, bin ich auf die eigenhändigen Manuskripte zurückgegangen. Die Texte blieben unverändert, lediglich Abkürzungen wurden aufgelöst, um Irrtümer zu vermeiden; Druckfehler wurden verbessert, und in seltenen Fällen wurde die Interpunktion berichtigt, um den Sinn zu wahren.

Eine – lückenhafte – Bibliographie der gedruckten Schriften Marcs findet sich erstmals in dem Band ›Franz Marc‹ von Alois J. Schardt (Berlin 1936). Für den Katalog der Hamburger Marc-Ausstellung von 1963/64 habe ich dieses Verzeichnis erweitert. In meine Monographie von 1976 ist dann eine umfassende Bibliographie der gedruckten und ungedruckten Schriften des Künstlers aufgenommen worden, die auch dem heutigen Band zur Grundlage gedient hat. Vor kurzem, 1978, hat Otto-Hubert Kost eine »vervollständigte« Liste der gedruckten Schriften erarbeitet, der ich manchen Hinweis entnehmen durfte (in: Von der Möglichkeit, Göttingen 1978). Der Leser tut freilich gut daran, sich an die nunmehr vorgelegten Angaben zu halten, denn erst hier konnten einige Texte und Datierungen berichtigt werden. Für alle weitergehenden Fragen zum Künstler und seinem Werk sei grundsätzlich auf meine zwei Bände verwiesen: *Franz Marc, Katalog der Werke (Köln 1970)* und *Franz Marc, Sein Leben und seine Kunst (Köln 1976)*. Aus dem letztgenannten Buch habe ich einige Absätze übernommen.

Zahlreichen Persönlichkeiten und Institutionen bin ich – wie bei meinen früheren Arbeiten über den Künstler – für ihre Hilfe zu Dank verpflichtet: besonders Otto Stangl, dem Nachlaßverwalter Marcs, für die Erlaubnis zur Veröffentlichung der Texte; dem Germanischen Nationalmuseum (Archiv für bildende Kunst, Archivdirektor Dr. Ludwig Veit) für die Beschaffung von Fotokopien der dort bewahrten Bestände; Dr. Joachim Hotz für die Unterstützung bei der Transkription. Ich danke auch Inge Erbslöh, Dr. Wolfgang Macke (†) und Klaus Piper. Indessen wäre die Publikation nicht durchführbar gewesen, wenn mir Frau Maria Marc († 1955) nicht schon 1948 in großzügiger Weise die Originale zugänglich gemacht hätte. Einige Texte sind seither verschollen und nur noch in den seinerzeit von mir gefertigten Abschriften überliefert.

Ich hoffe, daß in dieser Veröffentlichung Marcs Persönlichkeit, sein Gedankengut und seine Umwelt noch klarer als bisher hervortreten. Auch auf sein gemaltes Werk mögen neue Schlaglichter fallen. Denn dieses ist sein eigentliches Vermächtnis. Der Künstler hat selbst die Akzente gesetzt, als er ein Jahr vor seinem Tod Maria bat: » ... Wenn Du Kandinsky schreiben solltest oder ihn gar sehen solltest, – wer weiß, vielleicht darf er nach Deutschland herein? – grüß ihn herzlich und sag ihm, ich dächte oft an ihn, aber nicht an das was er nun denkt, sondern was er gemalt hat. Unser Denken, sein's und mein's, ist Journalismus, nur unser Malen hat Sinn. Sag's ihm ruhig.«[42]

Anmerkungen

1 *Franz Marc, Briefe, Aufzeichnungen und Aphorismen*, Berlin 1920, S. 38. (Bereits veröffentlichte Briefe und Schriften werden im folgenden stets nach dieser Ausgabe zitiert)

2 An Bernhard Koehler 17. März 1915. Siehe: Klaus Lankheit, *Franz Marc/ Sein Leben und seine Kunst*, Köln 1976, S. 126. (Im folgenden wird dieser Band stets als ›Lankheit 1976‹ zitiert)

3 An Maria 7. Oktober 1914 (unveröffentlicht; alle von uns zitierten bisher unveröffentlichten Briefe an Maria befinden sich in Nürnberg, Germanisches Nationalmuseum), dort ebenso die zitierten Briefe an die Eltern und an Kandinsky

4 Zur Frankreich-Reise von 1903 siehe: *Lankheit 1976*, S. 25–27; hier auch Auszüge aus den unveröffentlichten Briefen an die Eltern

5 An Reinhard Piper 10. April 1910 (unveröffentlicht; München, Archiv Reinhard Piper). – ›Rembrandt als Erzieher‹ ist der Titel eines damals sehr populären Buches über den holländischen Meister von Julius Langbehn (erschienen: Leipzig 1890). – Über die Begegnung zwischen dem Verleger und dem Maler berichtet Piper in seinen Lebenserinnerungen: *Vormittag. Erinnerungen eines Verlegers*, München 1947, S. 429 f.

6 An Reinhard Piper vom 24. Mai 1910 (unveröffentlicht; München, Archiv Reinhard Piper)

7 Mündlich zum Verfasser. – Ähnlich schon bei: Alois J. Schardt, *Franz Marc*, Berlin 1936, S. 92

8 Zu diesen drei Aufsätzen siehe auch: *Lankheit 1976*, S. 100–102

9 Will Grohmann, *Wassily Kandinsky. Leben und Werk*, Köln 1958, S. 72

10 DER STURM, 3. Jahrgang 1912/13, Nr. 133, Oktober 1912, S. 194f.

11 In: Klaus Lankheit, *Franz Marc* (= Kunst unserer Zeit, Band 3), Berlin 1950, S. 28 (Gesamtwortlaut des Briefes unveröffentlicht)

12 Klaus Lankheit, *Franz Marc. Katalog der Werke*, Köln 1970, Nr. 617

13 Siehe: *Der Blaue Reiter*. Dokumentarische Neuausgabe von Klaus Lankheit. München 1965, S. 281–283

14 »Eine Anzahl, wie zu hoffen steht, sehr junger Leute bietet im schönen Oberlichtsaale der Modernen Galerie (Arco-Palais) ein verfrühtes Faschingsvergnügen, einen Künstlerulk, dem leider weiter nichts fehlt, als der Humor. Die Ausstellung der ›Neuen Künstler-Vereinigung‹, von der ich rede, steht nämlich unter dem finsteren Zeichen einer quälend unfreiwilligen Komik jener Art herzbrechender Lächerlichkeit, die in einigermaßen feinfühligen Menschen durchaus keine Freude wachruft, sondern eher Gefühle der Bestürzung und der Scham . . .« (= H. Eßwein, ›Eine neue Künstler-Vereinigung‹ in der *Münchner Post* Nr. 280 vom 10. Dezember 1909, S. 2. In der Einführung des

Herausgebers zum Katalog der Ausstellung ›Der Blaue Reiter und sein
Kreis‹, Villingen-Schwenningen 1975,
S. 9, fälschlich auf den 9. Dezember
1911 datiert und auf die Erste Ausstellung des Blauen Reiters bezogen)

15 Die Kritik abgedruckt in den Bibliographischen Nachweisen, S. 216f.

16 Lankheit 1976, S. 56f. – Derselbe, ›Es
ist direkt ein Skandal‹ – Der Einbruch
der Moderne in Karlsruhe. In: *Fest-
schrift zum 150-jährigen Jubiläum des
Badischen Kunstvereins Karlsruhe*, Karlsruhe 1968, S. 85–100

17 Reinhard Piper, *Vormittag. Erinnerungen
eines Verlegers*, München 1947, S. 432 –
Siehe auch: *Lankheit 1976*, S. 90–92

18 Der Artikel ›Pechsteins Pech‹ abgedruckt in den Bibliographischen Nachweisen, S. 219

19 Weiteres in den Bibliographischen
Nachweisen, S. 220

20 Will Grohmann, *Wassily Kandinsky.
Leben und Werk*, Köln 1958, S. 69

21 Zur Geschichte und Bedeutung des
Almanachs siehe: *Der Blaue Reiter*. Her-
ausgegeben von Wassily Kandinsky
und Franz Marc. Dokumentarische
Neuausgabe von Klaus Lankheit.
München 1965, S. 253–304

22 9. Oktober 1911 (unveröffentlicht)

23 *Die Alpen*. VI. Jahrgang, Heft 3, November 1911, S. 184f. (nach: *Paul Klee,
Schriften, Rezensionen und Aufsätze*. Herausgegeben von Christian Geelhaar.
Köln 1976, S. 93f.)

24 *Die Alpen*. VI. Jahrgang, Heft 7, März
1912, S. 433f. (nach: *Schriften*, S. 100)

25 Siehe: *Der Blaue Reiter*. Dokumentarische Neuausgabe von Klaus Lankheit.
München 1965, S. 283f.

26 27. März 1915 (*Briefe, Aufzeichnungen
und Aphorismen*, S. 40)

27 23. Oktober 1914 (*Briefe, Aufzeichnungen und Aphorismen*, S. 18)

28 An Maria 8. April 1915 (*Briefe, Aufzeichnungen und Aphorismen*, S. 49)

29 An Maria 7. Januar 1915 (*Briefe, Aufzeichnungen und Aphorismen*, S. 36)

30 An Maria 23. November 1914 (*Briefe,
Aufzeichnungen und Aphorismen*, S. 24)

31 *Lankheit 1976*, S. 141f.

32 24. November 1915 (*Briefe, Aufzeichnungen und Aphorismen*, S. 85)

33 20. Februar 1915 (*Briefe, Aufzeichnungen
und Aphorismen*, S. 37)

34 unveröffentlicht

35 An Maria 27. März 1915 (*Briefe, Aufzeichnungen und Aphorismen*, S. 40)

36 *Briefe, Aufzeichnungen und Aphorismen*, S.
46

37 *Briefe, Aufzeichnungen und Aphorismen*,
S. 97f.

38 Klaus Lankheit, *Franz Marc. Skizzenbuch aus dem Felde*, Berlin (1956) ²1967

39 An Maria 15. Januar 1916 (unveröffentlicht)

40 An Maria 21. Januar 1916 (unveröffentlicht)

41 20. Februar 1915 an Maria (*Briefe, Aufzeichnungen und Aphorismen*. Berlin 1920,
I, S. 38). Hier ist der inzwischen zu
einem Schlagwort gewordene Begriff
der »ungemalten« Bilder zum ersten
Mal angewendet.

42 5. März 1915 (unveröffentlicht)

1 Selbstbildnis in bretonischer Tracht, 1904–06
   (zu S. 10 und Text 1)

2   Café Chantant II, 1903
    (zu S. 9 und Text 1)

3   Park bei Paris, 1903
    (zu S. 9 und Text 1)

4 Kinder im Boot, 1903
   (zu S. 10 und Text 1)

Voyage Paris-Bretagne
avec Ms. Cauer. mai 18-
1903.

18. mai

matin parti par Karlsruhe
Kunsthalle. L. Cranach
l'après-midi à Wörth avec
Evers et Buchner. Zieglerschule.
parti la nuit [——] l'Orient Express
pour
                    Paris
Grand Hôtel près de l'Opéra.

19. mai
après le déjeuner, au Louvre
Niké de Samothrake
Venus de Milo.

5   Erste Seite aus dem französischen Tagebuch, 1903
    (zu S. 9 und Text 1)

6   Plakat der Ausstellung im Februar 1910
    (zu S. 10)

7 Pferde in der Sonne, 1908
(zu S. 10)

8   Zwei Bären, 1910
    (zu S. 11)

9 Zwei Pferde, 1908/09
(zu S. 10 und Text 2)

10   Ruhende Kühe, 1911
     (zu S. 20 und Text 20)

11 Große Landschaft mit Pferden und Esel, 1911/12
    (zu S. 18 und Text 16)

12   Reh im Walde I, 1911
(Erste Ausstellung der Redaktion ›Der Blaue Reiter‹, zu Text 3)

13   Hund vor der Welt, 1912
     (zu S. 11 und Text 3)

DER BLAUE REITER

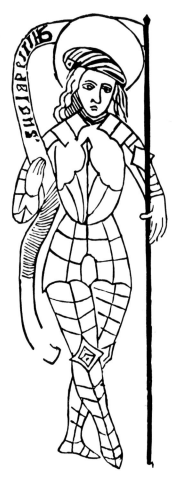

Die Kunst geht heute Wege, von denen unsere Väter sich nichts träumen liessen; man steht vor den neuen Werken wie im Traum und hört die apokalyptischen Reiter in den Lüften; man fühlt eine künstlerische Spannung über ganz Europa, — überall winken neue Künstler sich zu: ein Blick, ein Händedruck genügt, um sich zu verstehen.

Wir wissen, dass die Grundideen von dem, was heute gefühlt und geschaffen wird, schon vor uns bestanden haben und weisen mit Betonung darauf hin, dass sie in ihrem Wesen nicht neu sind; aber die Tatsache, dass neue Formen heute an allen Enden Europas hervorspriessen wie eine schöne, ungeahnte Saat, das muss verkündet werden und auf all die Stellen muss hingewiesen werden, wo Neues entsteht.

Aus dem Bewusstsein dieses geheimen Zusammenhanges der neuen künstlerischen Produktion wuchs die Idee des »BLAUEN REITERS«. Er soll der Ruf werden, der die Künstler sammelt, die zur neuen Zeit gehören, und der die Ohren der Laien weckt. Die Bücher des »BLAUEN REITERS« werden ausschliesslich von Künstlern geschaffen und geleitet. Das hiermit angekündigte erste Buch, dem andere in zwangloser Reihe folgen sollen, umfasst die neueste malerische Bewegung in Frankreich, Deutschland und Russland

14 Subskriptionsprospekt zum Almanach ›Der Blaue Reiter‹, 1912
    (zu S. 24 f. und Text 26)

15 Zwei Pferde, Vorlage für eine Illustration zum Almanach ›Der Blaue Reiter‹, 1911/12
    (zu S. 22 ff.)

16 Pferdchen, Entwurf zum Katalog des Ersten Deutschen Herbstsalons, 1913
   (zu S. 20 f. und Text 21)

17   Der Turm der blauen Pferde, 1913
       (zu S. 21 und Text 21)

18   Entwurf zu ›Tierschicksale‹, 1913
     (zu S. 15 und Text 10)

19 Das arme Land Tirol, 1913
(zu S. 21 und Text 21)

20 Figurine Miranda für Shakespeares ›Sturm‹, 1914
    (zu S. 16 und Text 13)

21   Figurine Caliban für Shakespeares ›Sturm‹, 1914
     (zu S. 16 und Text 13)

22 Erste Seite des Fragments ›Das abstrakte Theater‹, 1914
(zu S. 16 und Text 13)

Hageville, 25.X.14

23 Manuskript des Nachrufs auf August Macke, 1914
   (zu S. 26 und Text 30)

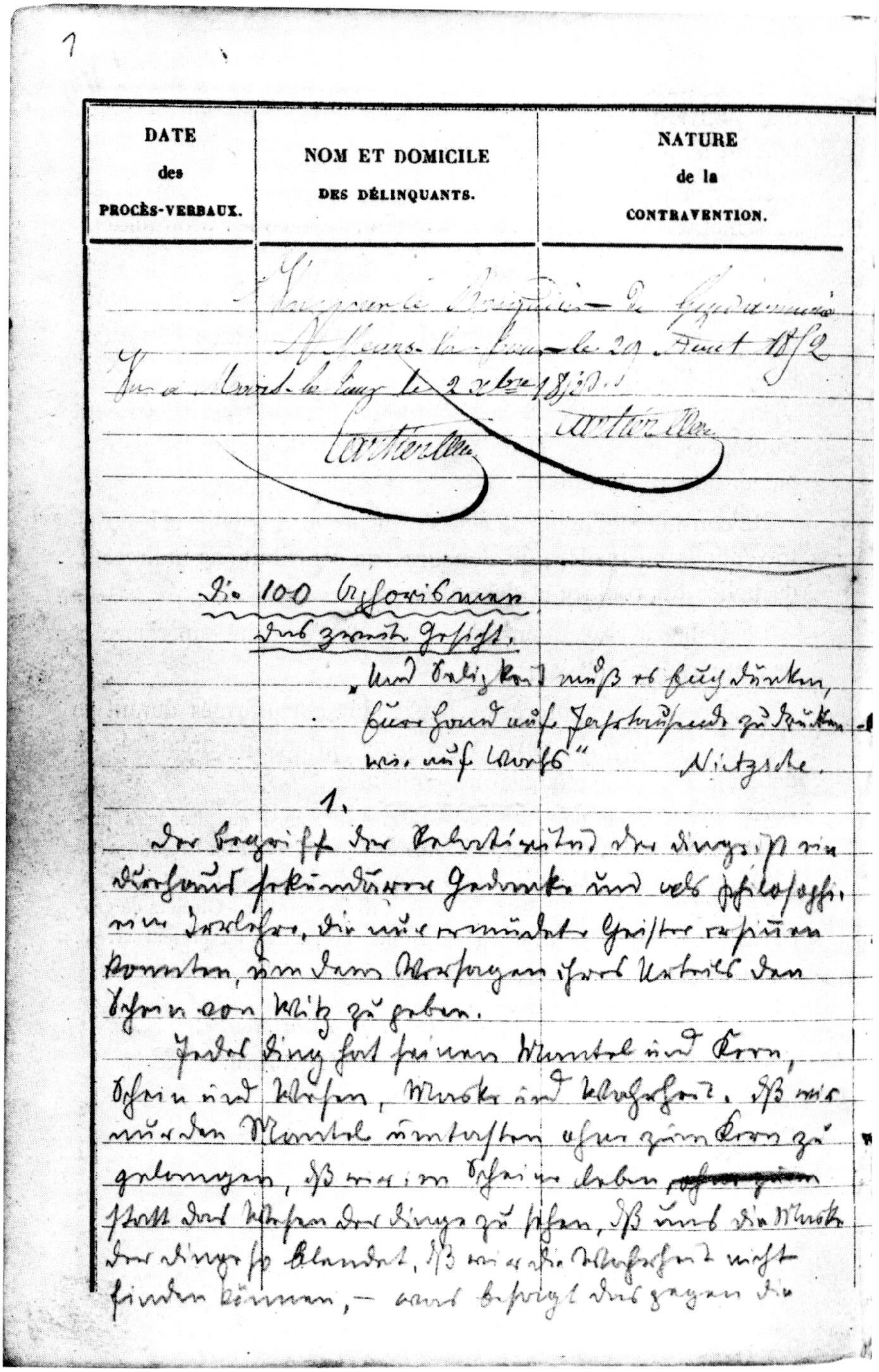
DATE des PROCÈS-VERBAUX. | NOM ET DOMICILE DES DÉLINQUANTS. | NATURE de la CONTRAVENTION.

Die 100 Aphorismen

Das zweite Gesicht.

„Und Seligkeit muß es euch dünken, eure Hand auf Jahrtausende zu drücken wie auf Wachs“ Nietzsche.

1.

24 Erste Seite aus den ›100 Aphorismen‹, 1915
(zu S. 28 f. und Text 35)

AUTORITÉ à laquelle les procès-verbaux ont été remis.	SUITE DONNÉE A L'AFFAIRE.	OBSERVATIONS.

geschehe und dazu überhaupt schön beweisen wie man
die Scheidung von Physik und Psyche in dem Sinne vor-
kommen wird, daß die Physik in der Psyche erlöst aufgeht, — nicht umgekehrt, wie es der grobe Fehler des
Materialismus mit sehen wollte.

15.

Die Weltgeschichte hat ihre immanenten, vor der
Welt, dem Menschen persönlich verheimlichten
Gesetze, die erst die grundtiefste Macht des 19. und
20. Jahrh. zu enträtseln begann, als es aus seiner
schweren Wissenschaft von den Gesetzen der Natur auch
ihre Schließungen folgte.

Unser bisher verfing sich nur ehesten in den
Dingen, die unsere Menschlichkeit am freusten dargen:
man begann mit den Sternen und Zahlen, um heute
endlich die Wissensformel gegen den Menschen platz zu
schaffen. (die größte)

Alles steht in den Anfängen.

Die Weltgeschichte, unsere eigenste Geschichte ist und
immer noch — im Gegensatz zu unserem Leben in der
Natur — ein rätselvolles Wunder, das wir in einem
Art dämmerzustand erleben. Nur in den seltenen, groß-
lichen Vorgängen des wachen Bewußtseins werden wir
gewahr, daß wir ausgezeichnete Handlungen großer

---

25 Textseite aus den ›100 Aphorismen‹, 1915
    (zu S. 28 f. und Text 35)

26 ›Streit‹, Blatt 24 des Skizzenbuchs aus dem Felde, 1915
    (zu S. 29 und Text 35)

27 ›Zaubriger Moment‹, Blatt 21 des Skizzenbuchs aus dem Felde, 1915
    (zu S. 29 und Text 35)

28 Christus am Ölberg, Zeichnung Marcs nach einem Gemälde von El Greco, 1911
    (zu S. 23 und Text 25)

29   El Greco: Christus am Ölberg, 1605–1610
      (zu S. 23 und Text 25)

30 Anselm Feuerbach: Amazonenschlacht, 1873
    (zu Text 14)

31   Wladimir von Bechtejeff: Amazonenschlacht, 1909
      (zu Text 14)

32   Pierre Girieud: Stilleben, 1909
     (zu Text 14)

33   Adolf Erbslöh: Der rote Rock, 1910
     (zu Text 14)

34   Wassily Kandinsky: Improvisation 9, 1910
     (zu Text 14)

35   Wassily Kandinsky: Komposition II, 1910
     (zu Text 14)

Reinhald das Wunderkind

36 Märchenillustration, um 1830
    (zu S. 24 und Text 24)

37 Wassily Kandinsky: Lyrisches, 1911
(zu S. 24 und Text 24)

38 Umberto Boccioni: Der Lärm der Straße dringt in das Haus, 1911
    (zu S. 19 f. und Text 19)

39   Umberto Boccioni: Die Macht der Straße, 1911
     (zu S. 19 f. und Text 19)

40 Pablo Picasso: La femme à la mandoline au piano, 1912
    (zu Text 25)

I

Aus den Jugendjahren

(1)

(1)

Voyage Paris – Bretagne / avec Mr. Lauer. Mai 18 – / 1903.

18. mai
matin parti pour *Karlsruhe*. Kunsthalle. L. *Cranach*.
l'après-midi à Wörth avec Evers et Baetzner. Zügelschule.
parti la nuit (l'*Orient Expresse* ⟨sic!⟩) pour
Paris
Grand Hôtel près de l'Opéra.

19. mai
après le déjeuner, au Louvre. Niké de Samothrake. Venus de Milo.
l'après-midi, près de l'arc de triomphe, la petite *Verette*, garni de mes *oeillets*
blancs. le soir un très *bon* diner au Grand Hôtel.

20 mai.
le bon matin, j'ai peint la vue de ma chambre (en rouge) donnante ⟨sic!⟩ sur
l'opéra (tempéra). après parti avec Lauer pour (vaporette)
Meudon
Bellevue. ravissante avenue de Meudon, l'observatoire (discours sur 70/71);
merveilleux jour de printemps; superbe déjeuner (à 30 fr!). un air du *Sud* dans
toute cette contrée. des merveilles de maison des campagnes, jardins etc.
rentrés par Meudon-Val-Fleury.
admiration pour l'Opéra.

21 mai.
Ascension.
matin Salon. affreux . . . 12 fois à repéter! exceptions: 2 portraits d'hommes de
Deziré superbes! trois Tableaux Zuolaga. 1 trio de Largent.
l'après-midi au bois de Boulogne (Ascension!) enivré du soleil. café glacé au
chateaux ⟨sic!⟩ de Madrid. high-life.

22 mai.
matin au Luxembourg. Manet, Impressioniste, *Besnard* femme qui se chauffe.
4^h matinée d'Isac Pugno Beethoven – Bach, à la salle de Pleyel. Mr. Roth-
schild jun. ses avances entêtées vers la dame en noir. achats à la belle jardinière
(207 fr.). soir: au *diner de Paris*. la gentille fille (d' Algérie?) aimable refus.
(Yvonne)

23.
Notre-Dame. Sainte chapelle. bezaubernde Farben Gothik im Innern. sinnlich
mystisch.
le soir: concert. Scuola cantorum (rue S. Jacques).
Bach! Mozart Requiem. inoubliable.

24. Mai.
Chantilly (course) promenade. plan de prolonger le voyage jusqu'au ⟨sic!⟩
septembre.

25. M.
visite chez Mr. Rieulin (Quai d'Orsai 207). Exposition d' Horticulture.

26 Mai
Louvre. les tableaux. Rembrandt et les Italiens, Mantegna. le soir discours
avec Lauer sur Yvonne et l'amour.

27. Mai
Jardin des plantes: y dessiné. Exposition des Arts musulmans (aux Arts décoratifs) superbe! Ereignis!
le soir: Cyrano de Bergerac *Coquelin* Théatre St. Martin. un affreux gout.
comme les peintres ils ont oublié leurs vrais maîtres.

28. Mai.
jardin d'Acclimatation. visite chez Mr. et Me. Paul Caulier, peintre (Kairo).
recommandé par Melle Lisel Bauer. demeurent Neuilly s/S. Boulevard Bineau
67 bis.

29 Mai
Cimetière Père Lachaise. le soir à l'Opéra: Lohengrin! enorme.

30. Mai
Sortîmes du Grand Hôtel (chambre 822, Lauer 802, vue sur l'Opéra) pour
Quai Voltaire: Hôtel du Quai Voltaire vis à vis du Louvre. enorme vue sur
7 ponts. le soir *Tsadora Duncan* (Théâtre Sarah Bernhardt ⟨sic!⟩). Première
représentation publique à Paris. bête et mauvais public, excepté les Américains.
notre enthousiasme démésuré . . . . .
Program: Danses idylles
1 p^ie   1.) Airs de Ballet (Air, courante, Sarabande et Gigue, 17 siècle)
                2.) La Primavera (Boticelli)
                    Musik nach Fabricio Caroso 1586.

3.) Musette François Couperin 1700)

4.) l'ange jouant de la viole, d'après le tableau d'Ambrogio de Predis

4.) Bacchus et Ariadne d'après le Titien (mus. Giovanni Picchi 1621) très bien

2 p^{ie}   *Danses* sans musique. étude de mime

5.) la jeune fille et la mort

9.) Pan et Echo. très bien

3 p^{ie}   *Chopin* Prélude op. 28 n° 4

„   „   „ n° 7

Valse   op. 64 n° 1

31. Pente-Côte.

Notre-Dame (Archevêque! cérémonie.)
Bois de Boulogne. fête des fleurs.

1. Juni.
Lundi de Pente Côte.
1. excursion à Fontainebleau.

2. Juin.
Musée de Cluny. très intéressant. y dessiné.

3 Juin
le matin au Louvre. Antiques. y dessiné. rencontré Isadora Duncan. L'après-midi au Panthéon.

4. Juin.
matin au Louvre. Antiques. l'après-midi première visite chez Funck Brentano (rue Alboni 5)

5. Juin
matin église l'*Auxeroi*. sehr zweifelhafte Gothik aber dennoch reizvoll. St. Roch, schwächliches und freudloses Barok.
Abends Funck Brentano. elle charmante. de merveilleux tableaux. Sculpture de Callot etc. Frz. Funck affreux. entretien sur la valeur des sciences. (alles dummes Zeug); l'art c'est tout etc., combien j'aime l'Art. la musique m'attriste. – nous deux étions vers la fin très animés. (le tout après diner, à 9 h – 12 1/2).

6 Juin.
Chez Durand Ruel, Bernheim jeune; *Ch. Hessèle* (rue Laffitte 13), exposition
d'eaux fortes, litographies, dessins. parle Allemand. prière de le recommander.

7. Juin
Grand Prix. Longchamps. Beautemps, frais. Merveilleux. Le soir pavillon des
champs Elys. (dîner à 75 fr.!)

8. Juin.
matin Louvre. l'après-midi la vente des fresques Boscoreales (Pompeijan.).
après sacré coeur au Montmartre.

9. Juin.
Exposition privée Durand-Ruel.
Impression. Manet (jardin des Tuileries! etc.) Renoir (ses plus beaux tableaux).
Claude Monet, Pissaro, Boudin. Ereignis pour moi. Je pense que cela reste
décisif pour mon art.

10 Juin mercredi
moi seul au Louvre, excellent diner au Montmartre 10 (Eingang: petit Casino)
où est notre silencieuse Yvonne) soir Beethoven (Quatuor de la fondation
Beethoven). superbe: Sonate de Schuman (rue Victor Hugo 101, dans une
salle qui appartient au sculpteur »Labattue«.

11 Juin.
matin acheté, près du Luxembourg, chez Flammarion, une superbe collection
d'estampes *Japonaises*. le soir concert dans la salle des Agriculteurs, rue d'Athè-
nes 8, du Trio Moscovite (Schor, Krein, Ehrlich). Schubert (trio b majeur
(es dur)), Mozart (b majeur).

12 Juin.
Lauer se trouve mal. commissions (Hessèle). après-midi moi chez Louis Funck
(rue de Commaille 4). le soir diner Hôtel Gare d'Orsay, en haut, très tranquille).

13 Juin.
à Sèvres (manufacture) et St. Cloud. superbe journée. (matin très froid) diner
à St. Cloud, vis à vis de la gare. le soir reçu l'invitation pour le déjeuner de
Frz. Funck. L⟨auer⟩ n'accepte pas.

14. Juin.
L⟨auer⟩ se trouve indisposé. (de la fatigue au corps.) des achats d'estampes
etc. Luxembourg (Plastik).

15. Juin.
monté en haut de *Notre-Dame* (les dieux de Paris).

16. Juin.
achat de Plaquettes. (Roty, Chaplain) au Quai de l'horloge 39. soir Cabaret
Boite au Turcie. ziemlich steif und fast durchweg politisch, aber sehr gut.

18. Juni.
Luxembourg. achats des plus belles estampes japonaises.

17. Juni
dejeuner chez Frz. Funck. Bibliothek d'Arsenal. (Miniatures de »Terenz de
l'Arsenal«. Très belles.)

19. Juin.
Excursion à Chartres. la plus heureuse journée du voyage. superbe cathédrale.
gentil⟨le⟩ ville. après-midi dans le champs (au nord de la ville) le blé rouge.
beau temps d'été. très heureux. rentre minuit.

20 Juin.
vilain temp. le soir au cirque des Japonais. (rue Pigalle).

21 Juin
»Lakme« et les noces de Jeanette à l'Opéra-Comique. triste goût.
motiv nous deux chez Kienlin. soir dîner place Pigalle, puis:
1.) Le néant. le seul qui est artistique et vaut bien la peine d'y aller. Partout
des squelettes.
2.) le ciel, sans esprit et assez plat. Au commencement 2 filles de l'armée du
Salut sont entré⟨es⟩ et y ont chanté, sous les railleries des acteurs.
3.) l'enfer. mieux que le ciel; mais à présent, on n'y peut entrer avec des dames,
car surtout celles-ci sont abordées d'un⟨e⟩ façon embêtante, de plat⟨e⟩s
cochonneries et des bêtes allusions.
4) descendu aux Boulevard. Café Américaine ⟨sic!⟩. Au 1e Les Cocottes.
Champagne, nous sommes réchauffés. la nuit était froide.

5. chez Maximes. on y est scandalisé par un⟨e⟩ robe de réforme (viennois bien sûr.). On dansait; des assiettes jetées parterre. applaudissement de notre part. reconduit Mr Kienlin à sa demeure Quai d'Orsay 107. puis, sous l'aube du matin, aux Halles. Restaurant Baratte. On y chantait des chansons espagnol⟨e⟩s etc. La petite bleu qui dansait. puis au Bois de Boulogne. Pré Catelan. du lait. nos fraises partagés avec deux cocottes. superbe matin. retournés chez nous à 10^h. A l'arc de triomphe, en sortant pour le bois nous avons vu Santoz Dumont avec son navire d'air. Il descendit à la rue.

23. Juin
Manufacture de Gobelin.

24 Juin.
musée Cernuschi japan. très intéressants dessins et petites sculptures. déjeuner à la taverne américaine.

25 Juin.
Louvre. les antiques égyptiennes et assyriennes. schola cantorum. Fête musical⟨e⟩. soir Hôtel Margérie.

26 Juin.
temps d'été. Versailles et les deux Trianons. Beau stil ⟨sic!⟩ Louis XVI. superbe soirée au hameau et dans les jardins. diner Hôtel des réservoirs, très joli établissement, plein de charme, très bonne société anglaise surtout. avant de partir, nous visitions encore un gentil cirque populaire, qu'on a établi ce jour-là.

27. Juin. samedi.
l'été, beau temps! le soir, dans la scuola cantorum (rue Saint Ja⟨c⟩ques 269) fête de jardin, reconstruite du VIII siècle (rococo); merveilleusement fait. Bach et Rameau (la Guirlande!) scènes et danses en costume. (dîner *taverne du Panthéon*, pas loin du Luxembourg. très bon.

28. Juin, dimanche.
de nouveau à Versailles. musée. excellent diner et déjeuner chez Vatel (rue des Réservoirs). ancienne maison. l'après-midi dans les jardin⟨s⟩. y dessiné. le soir Concert ibidem. Ouverture du Freischütz.

29. Juin. lundi.
au Louvre. le soir diner à l'hôtel Continental (anglais, la dame à la table d'hôte avec un singe.) invité aux Folies Marigny. affreux. goût américain. triste impression.

mardi.
le contraire aux Mathurin. Pantomimique la belle Otero (avec Pierrot.) la scène *a la diable* pour fin de saison. soir au Eiffelturm. bon diner. après au théatre: le lycée de jeunes filles, nous a fait rire follement. (de Bisson).

mercredi
à Meudon. Concert (Orgue) chez Monsieur Guilmant (rue de la gare 10.) concert de ses écoliers; très aimablement accueilli. (pas public!) (déjeuner: grand Hôtel belle vue. diner: un petit hôtel à côté.)

jeudi
acheté un *kodak*. *Chantilly*. chateau. merveilleuse collection de tableaux. le soir diner dans un petit hôtel près (derrière) les grand⟨e⟩s écuries.

vendredi.
Fête de Neuilly. souper au jardin d'acclimatation. soir à Neuilly.

samedi.
tour d'Eiffel tout en haut.

dimanche.
comme tout les matins, pris notre chocolat à la laiterie (vacherie) du hameau, rue de Pyramides. enfin réunis les invités pour le soir à Neuilly.
Madame, notre Chocolädchen (Marie 17 ans. ravissante, noir⟨e⟩), la petit⟨e⟩ Germaine (6 ans), un cousin, très gentil. emmené en 2 voitures. dehors hippo-drom, cirques, ménageries. bu du vin . . . . rentrés deux heures. très heureux.

lundi.
St. Denis. les tombeaux.

mardi.
chez Mr Kienlin. Petit Palais (vis à vis du Salon). très beaux Tableaux. (Hol-landais, modernes, dessin et esquisses. après de déjeuner Hôtel de ville. affreux! soir le *Gala de la presse* Opéra comique. soirée de bénéfice pour les déshérites.

Pour nous une revue de ce que nous avons déjà vu et entendu à Paris. Otèro, (les mathurins). Il ne faut jurer de rien. de *Musset*.

mercredi 8 Juillet
le matin, comme chaque jour, à la laiterie (vacherie du hameau) sorti après à *St. Germain en Laye*: Pavillon Henri IV. très cher mais bon et très beau promenade dans le bois. retour par les vignes. diner Pavillon Louis XIV. moins cher et très beau jardin.

jeudi 9 Juillet
vacherie (notre Chocolädchen). conférence de *l'Art pour tous* à l'école Germain-Pilon de dessin et de modelage. Mr Kienlin. avec lui à l'Hôtel Fusain, au Quai très très intéressant (municipal). soir diner au *Marguery*. excellent.

vendredi 10 Juillet.
Versailles pour la troisième fois. très très beau.

samedi 11 Juillet.
fait des commissions pendant toute la journée. dîner à la gare d'Orléans.

dimanche – 12 Juillet
commence de la fête nationale. avant le déjeuner au Louvre: collection Thomy-Thierry, conférence de l'Art pour tous. déjeuner à la brasserie universelle. ensuite sortis avec notre chère Marie, la petite Germaine et Mr Léon Riedel (cousin de Marie (Chokolädchen) au jardin d'acclimatation, montée sur un cheval, la petite sur l'âne. un *orage*. bu du thé au Restaurant, puis dîner au jardin, très bon; joyeuse et heureuse compagnie. Qu'elle cause et bavarde gentillement notre Marie, sans gêne et sincèrement. rentrés le soir en voiture, puis emmenés la mère, qui nous attendait dans les rues de la ville. Restaurant *Baratte* – chanteur (l'amour de Séville!). rentré vers 3^h. Je restais encore longtemps sur le balcon, au grand matin, qui s'annonçait; pensif au chant matinal des oiseaux je me suis endormi.

lundi 11 Juillet.
Interregnum entre nos joies d'hier et du demain.

Mardi 14 Juillet
fête national⟨e⟩. Matin à notre vacherie du hameau. beau, frais temps.

Champs-Elysées. déjeuner à l'Alcazar d'Eté. Ensuite fête public ⟨sic!⟩ de Victor Hugo sur la place des Vosges. (Un triste goût; des airs de Gounod et Meyerbeer; – danses Hongroises et Grecques! inoui!) Five-o clock chez Ritz. Sorti avec notre petite famille. feu d'Artifice. Dames à l'hôtel de ville et ensuite chez Baratte. Bonne humeur. matin s'annonce.

mercredi
Louvre salle de Michel Ange. Théâtre français: l'école des femmes. et, de Scribe, La bataille des dames. très bonne représentation.

jeudi.
des achats. Bon marché. soir diner au Margéry.

vendredi.
Louvre. Michel Ange. Bibliothec ⟨sic!⟩ nationale. cour du Palais royal. soir avec Kienlin diner chez Voisin. très bon. parlé de politique. puis tournée des Grand⟨s⟩ Ducs au Quartier latin. jusque plus rien. chez père Lunette. puis chez Baratte aux Halles. rentré vers 4^h du matin. Il pleuvait toute la journée.

samedi 19 Juillet.
mauvais temps. préparations pour l'excursion à Vaucesson. soir chez Marguéry.

dimanche 20.
Excursion dans un Breack avec notre famille Debenne pour Vaucesson, Marnes, Etang de la Ville d'Avray. Déjeuner sur l'herbe. le soir au moulin rouge. (La belle New-York).

lundi 21. Juillet
Tranquille. des commissions.

mardi
le soir chez Kienlin. y était le consul. discours politiques.

mercredi.
seul avec Marie. venus trop tard pour descendre dans les Egouts. déjeuner chez Julien. après 115 rue Pigalle! monté avec la voiture sans le ⟨Wort unleserlich⟩ c'était la pièce, qu'on jouait au théâtre Guévin. amusant (par Bisson, le même dont est le lycée de jeunes filles, ce qu'on jouait au Eiffel.). puis nous allâmes

au Printemps. acheté pour elle le beau portemonnaie et une voiture pour Germaine.

jeudi 23 Juillet
commission chez *Braun*. visite (il y ⟨a⟩ trois jours) faite à Me Funck. très aimable.

vendredi 24 Juillet
après le déjeuner à la laiterie en attendant la mère pour pouvoir sortir avec notre Marie. Elle refuse (à cause de sa mère) de sortir seule le soir. Enfin nous sortions à trois en voiture pour le château d'Armenouville. En rentrant Me Devot et Mr Riedel nous accompagnaient: diner Palais d'Orsay. extrême gaîté de Marie. Découvert son talent d'actrice. puis au Mathurin! quelques pièces qu'on jouait. très gai. parcourant, on dansant et chantant, les rues. dernier regard d'adieu, comme elle s'en allait avec sa bougie, le couloir de sa maison. Je la regardais ainsi à travers la grille de la porte.

samedi 25 Juillet
Dernier jour à Paris. beau temps. Nos adieux à la laiterie. déjeuner à la Brasserie. Depart 6.29 gare d'Orléans. Marie y était. les adieux. »tout lasse, tout casse, tout passe«. (des Mathurin). Diner au Wagon-R. lettre de Mme Debenne. arrivés à Blois.

Dimanche 26 Juillet.
Mauvois temps. »Hôtel d'Angleterre et de Chambord«, au Quai de la Loire. visités le château. Sculpture! la salamandre, le porc-épic. (François I.)

lundi.
excursion en voiture à Chambord. il pleuvait. belle route. seuls dans la voiture, sans la Chocoladerl! Chambord – comme un immense Hôtel, désolé puis visités le château Cheverny. On y vit. très intéressant. beau parc.

mardi.
Amboise. le château dominant la ville. appartient à la famille d'Orléans, qui le fait restaurer. [soir] avant de diner à *Tours*. Hôtel du Faisan.

mercredi
à Tour. Eine schläfrige Stadt. Hôtel kaum passabel. l'archevêché! Tout noir

de clergé! Nous montions sur la tour de la cathédrale. La ville semble être assez riche. »aufblühend« à ce qu'on dit.

jeudi
Hier au soir arrivé à Angers. Hôtel du cheval blanc agréable. très bon Restaurant. L'Angers d'il-y-a trente ans disparait absolument. Tout nouveau. Aux Restaurant⟨s⟩ et aux cafés on imite Paris. Un musée intéressant. Naturaliencabinet! *Vögel!* Galérie de tableaux: un petit *Rubens*, Bacchusscene! prima!! Lancret, Pater. prima! de même quelques petit⟨e⟩s vie-mortes de *Chardin*. Une galérie pour y copier!
à Tours le musée contient une énorme collection de scelettes ⟨sic!⟩, surtout des oiseaux, fort bien préparée. Et une Quantité d'*animaux*, surtout des oiseaux. ausgestopft.
Le soir nous sortions pour Trelazé ardoiseries.

vendredi. 31. Juillet 03
parti midi, train rapid pour Nantes. Promenade au Quai. grand port. Hôtel de France. le soir en théâtre: Huguenet jouait le secret de Polichinelle. très gai.

1. Août.
matin au musée (Velasquez, Murillio.) parti après le déjeuner pour Auray. très gentil. lion d'or. très bon. bien accueilli.

2 Août.
excursion en voiture. Carnac (Menhir, Dolmen.) l'office dans l'église. costumes breton. grand, excellent déjeuner à Carnac. Locmariques pour la première fois vu la mer. retour pour le diner à Carnac.

3 Août.
10 1/2 parti pour Quimperlé. lion d'or. les quatre folles Philomène, Françoise, Marianne, Louise. ravissant ménage.

4 Août.
promenade à pied à la plage (Pouldon). brumeux et humide, vers le soir apparût enfin le soleil. 26 klm beau chemin.

5 Août.
Dans les entours de Quimperlé. dessiné. le soir à la rivière. (Telegramme à Me Debenne, lettre de Mr Léon Riedel!)

6 Août.
sortis pour dessiner et peindre.

7. août.
dessiné les »causeuses bretonnes«. Lauer sent du rhumatisme à son genoux ⟨sic!⟩.

8. août.
L⟨auer⟩ reste en lit.

9. août.
mauvais temps. moi sorti pour peindre.

10. août.
peint dans les entours de Quimperlé. grande foire.

11. août.
à Quimper. Hôtel de l'epée. *très bon*. cathédrale fort intéressante. musée. quantité de petits tableaux assez gentils, mois beaucoup de copies. après le musée, acheté nos deux costumes bretons. – excellent diner. retour avec le train de 9^h. très très mauvais temps toute la journée.

mercredi 12 aout
gris, vers le soir de nouveau de la pluie. peint des enfants.

jeudi 13 août.
excursion en voiture pour *Fouet*. Beau temps. Chapelle entre des Roches. superbe Architecture (Böklin ⟨sic!⟩). vue sur la Bretagne.

vendredi.
dernier jour à Quimperlé. Les filles! encore fait une esquisse à la rivière. mauvais temps.

samedi 15 août 03.
partis pour Quimper. fête. procession. saltimbanques et cirques. merveilleux
costumes. Hôtel de l'épée.

dimanche matin
6ʰ partir avec le train pour Douarnenez, Audierne, ensuite en voiture jusqu'à
la pointe de Ratz. Hôtel de la pointe de Ratz. agréable, simple. magnifique
jour sur les rochers, au milieu de la mer. peint. gris et grand vent.

lundi
beau temps. le matin encore une fois sur les rochers de la pointe du Ratz.
après le déjeuner partis en voiture pour Audierne, Douarnenez. Hôtel de
France. soirée au port. puis assiste au bal de noces. costumes. les deux pêcheurs
dans la buvette.

mardi 18 août.
acheté quelques choses. puis nous faisions une excursion en bateau à voile, sur
la mer! soirée au port.

mercredi 19 août.
partis pour Brest. excursion au passage de Kertinan. y montés et achetés des
bonnets d'enfants et pour nous.

jeudi 20 août.
Brest. la veille au port. partis pour St. Malô après le déjeuner. long trajet. St.
Malo – Hôtel Franklin.

vendredi 21
Hôtel Franklin. après midi à la plage de Dinard. soirée au Casino. Leonoren-
ouverture.

samedi.
Mont St. Michel. temps merveilleux.

dimanche.
à Paramé. diner à Bristol-palace-Hôtel, dans la salle, qui donne sur la mer.
Stimmung! la fille aux cheveux roux devant nous. La terrasse après le diner,
le monde se détachant en silhouettes contre la mer. au Casino Mamselle
Nitouche.

lundi
à Dinard, la marée montante. ma chambre donnant sur la mer, que je regardais toujour de mon lit.

mardi.
partis pour Guimgamp. *Hôtel de l'ouest.* très très propre et bon. Guingamp est pittoresque idyllique. des moulins, des ponts. il faisait beau temps. avant de partir nous nous promenions longeant la rivière, prês du joli moulin au fond d'un gentil pâturage. parti avec le train pour Carhaix, Rosporden jusqu'à *Concarneau.*

jeudi 27 août 03.
Concarneau, joli port. mauvais hôtels (des voyageurs, pas propre. mauvais diner). merveilleux temps. belle *promenade* au chateau de la princesse Narischkine. le soir sur Rosporden Quimper à *Pont l'Abbé.*

vendredi
Pont l'Abbé Hôtel du lion d'or. Mr *A. Le Berre.* (qui étudie la langue bretonne ancienne.) Hôtel très bon et propre. excursion en voiture pour Penmarch (phare d'Eckmühl). à l'hôtel du Phare *très bon* déjeuner, puis nous nous rendîmes à Loktudy, plage pittoresque. port recevant les charges de pommes de terre pour l'Angleterre des îles. très joli endroit pour des peintres! puis retour à *pont l'Abbé.* le soir encore acheté quelques costumes (moi des rubans).

samedi 29. aout.
partis pour Douarnenez, la veille de la fête du Pardon de la St. Anne de Palud. arrêt à Quimper, à cause des costumes. déjeuner à l'hôtel de l'Epée. soir à Douarnenez.

dimanche 30 août 03.
partis dans un Landauer, avec un monsieur franc. et sa femme, pour le pardon. merveilleux temps. une sorte de »grand prix« pour la Bretagne. déjeuner sur l'herbe, c-à-d au coin d'un monceau de paille. la procession. Apothéose de notre voyage en Bretagne.

lundi 31.
encore en Douarnenez. au port. informations pour un trajet à l'île de Sein. Le Marquis Trazigny-Djip loués son bateau de famille. embarqués *vers* les

5 heures. passés la nuit sur la mer, le vent manquant complètement. La nuit! retour à Douarnenez vers 10 h. le matin, sans avoir atteint l'île de Sein!

mardi
vers le soir promenade sur la côte de l'ouest de la baie.

mercredi.
Toute la journée au port. Le soir avec Mme et M. Henri Morvan: Sa collection de carte⟨s⟩ postales. Elle, une belle et grande Française de Toulon.

jeudi
Départ de Douarnenez. arrêté vers les 4 heures à Ploërmel. au clair de la lune. la ville a de pittoresques entours. Hôtel du Commerce, peu agréable.

vendredi
à Beunes. déjeuner au buffet de la gare, très bon. puis au musée, et la cathédrale. Train de vitesse 3^{45} – 10^{45} pour Paris.
Zuloaga (du Figaro illustré) comme lecture et entretien. arrivé à Paris. des grands orages.

samedi, 5 sept.
19, Quai Voltaire; mêmes chambres. un air lourd et orageux. pris du chocolat 19 rue des Pyramides. sortis le soir seuls avec Marie. le moindre entrain du monde. (le grand cirque, rue St. Honoré, Radpolo). une étrange et triste soirée. chez Funck. Mad. et Claudine. nos adieux.

dimanche.
Nous avons voulu sortir avec elle à Versailles. refus, apporté par Mme Devaux, à la gare. excellent déjeuner froid chez Julien (Boulevard des Italiens). après chez elle. elle avoit sa tache d'encre sur son nouveau corset. exposition de *l'habitation* au grand palais. orage en rentrant, plan conçu d'aller à Anvers et Cologne. soir au Quai d'Orsay.

lundi. 7 Sept. 03.
froid. matin longtemps dans notre laiterie pourparlers sur les affaires. Après-midi, vers les 4^h, chez Melle Pognon. 30, B^d Haussmann. le soir au Théâtre Français. Dumas: le mari de la veuve (Truffier, (Guignon)), les demoiselles de St. Cyr, (sur les intrigues de Me de Maintenon.)

mardi.
très beau temps. Bibliothek nationale (Tanagrafiguren, celle d'une dansant le cake-walk, collection de Jouzé N⁰ 124). après-midi avec Chokoladerl au Bois. château de Madrid. elle babillait sans cesse. à Longchamps (soir gris à la rivière; des pêcheurs). retour à pied à la porte Maillot. de là en voiture à la maison Marguéry. gai, bon dîner en pleine ⟨sic!⟩ air. (veuve Cliquot.) puis Parisiana Établissement élégant et agréable, Boulevard des Italiens au Montmartre.
chez Maximes! Miss Stafford dansant le Cakewalk. (Creolin). Chokoladerl devenu silencieuse.

mercredi.
Commissions. au Louvre. sortis avec Mʳ Stefani. chez *Jouffrai.*

jeudi.
avec Chokoladerl à *Versailles.* nos rires et baisers sans fin. dîner chez Vatel. concert au *Théâtre.* rentrés le soir vers minuit.

vendredi.
Chez Mˢˢ Stefani et Kampfmeyer rue Lepic 102 XVIII arr. (Marocco. dîner au Montmartre). belle vue sur Paris. reçu une eauforte de Mʳ Stefani. soir encore chez Chokoladerl.

samedi 12 sept. 03.
nos adieux à Paris. le matin encore dans la laiterie. moi plus tard je me promenais. Dames emballai⟨en⟩t. à 1²⁵ nous partîmes pour Le Havre. Chokoladerl et Mᵉ Devaux montaient dans notre voiture. adieux à la gare St. Lazare. Chokol. voulait nous accompagner à Rouen! Nos coeurs attristés. Le Havre Hôtel Frascati, nicht den Pariser entsprechend. premier Hôtel de Havre.

Dimanche.
le matin visité *La Lorraine.* (Le Havre – New York.) le *soir a Rouen.* même attristement dans nos coeurs. le soir au Théâtre (Blanchette, par Brieux, ein allzu französ. Volksstück). L'anglais tel qu'on le parle. très gai. – de la musique et de l'entrain dans la ville. Le tout d'une étrange vivacité. – Hôtel de *France.* très bon et agréable.

lundi et mardi
à Rouen. Les cathédrales, magnifiques vitres. Les patisseries de Rouen! mardi

soir sur la colline de Bonsecours; monument (par Barrias) de la Jeanne d'Arc.
vue sur Rouen! feierliche Stimmung.
le musée de Rouen contient 2 Corots et un superbe portrait par J.F. Millet.
(un officier.)

mercredi. 14 sept. 03.
à Amiens. Hôtel de France et d'Angleterre. cher et délabré. mauvais repas.
L'immense et belle cathédrale. beau musée. (Frz Hals).
à la basse-ville, un petit Venise (aussi sale et puante, mais pittoresque comme
quelques coins perdus de Venise.)

jeudi 15 sept.
pour Anvers. parti le matin 6³³. Bruxelles. voiture à la gare du nord. Anvers
rue Schoonbeke 31 chez Mʳ Ingenohl (Mᵐᵉ Marie, les filles Olga, Clara, Irma
(l'ainée). Fräulein Kaiser aus Regensburg. Tennis.

vendredi.
Au port et dans la Cathédrale. musée (Frz Hals, le grand Breughel).

samedi 19 sept.
l'après-midi à la Zoologie. avec la famille Mᵐᵉ Buk et ses deux petites enfants
en route pour Manila. Mᵉˡˡᵉ Emmy Eiffe.

dimanche
matin visite sur le grand navire Hamburg (H.-Chine). grand dîner chez
Ingenohls. Mᵉˡˡᵉ de Kayser, Buks et un oncle des filles etc. l'après-midi Tennis.
Le soir regardé des Japoneries, photos etc.
il faisait un temp magnifique.

lundi le 21 sept. 03.
arrivé vers 5ʰ à Köln. monté sur le Dom. superbe vue sur Cologne. véritable
beau temps. Dom-hôtel (premier ordre). la chambre donnant la vue sur le
Dom. soir au Reichshallen (variété musikal. Vindobona Quartett. comisch.
erstklassig. jongleuse (petite, Mᵉˡˡᵉ).

mardi 22. sept.
Au musée. ce merveilleuse petite tête de Rubens. les maîtres primitifs. un
Durer le tout premier ordre (2 figures mit Landschaft Hintergrund!). Leibl.

ein ganz schwarzer Munkácsy. les églises: Le Dom: sans pareil dans son genre. Altarbild v. Stefan Lochner. Der Geist der primitiven großen Meister in allen Kirchen.
Die romanischen Kirchen: *St. Maria im Kapitol.* zauberhaft schön. pikant zum Unerhörten. Eisengitter farbig.
Groß-St. Martin. desgleichen erstklassig u. ganz ⟨er⟩halten:
St. Gereon 10eckiger Kuppelanlage mit quadratischer Vorhalle. vergoldet.
Abends im zoologischen Garten am Rhein, sehr fein (extra feines Mittagessen mit Kaffeesiesta im Domhôtel.

mercredi 23 sept.
ab nach Heidelberg. Mme Lauer in Mannheim gesehen. Schloßhôtel in Heidelberg. ausgezeichnet, wundervoller Abend.

Donnerstag.
prachtvolles Wetter. Heidelberger Schloß. Mit Engelhart und Richter zusammen. Mit Robert Engelh. noch den Abend.

Freitag.
Molkenkur. Dann nach Schwetzingen. einzigartig gracieus u. fein. Fadenscheinige Herbsttagsstimmung.

Samstag 26. Septemb.
Heim nach München.

Sonntag Abend 4 Oktober
Lauer noch München. zusammen in Bar vom bayrischen Hof.

[Am Ende des Heftes Notizen:]
Breton.
Nouveau Dictionnaire pratique Francois et Breton du Dialecte de Léon, avec les acceptations diverses de Dialecte de Vannes, Treguier et de Cornouailles par A. Troude. Brest Lefournier libraires éditeurs 26 grande rue. a. 1869. Recommandé par M^r le juge d'instruction de Quimperlé. en fait de lecture bretonne. Bargas Breiz
(bradai Mac la Villemarqué?)
addr. des deux pêcheurs de *Douarnenez*

Mʳ Jean Marie Guezenna
au Stancai en Thoare par Douarnenez.
Joncour Yves
au Stancai
Douarnenez.
le dernier sera lui je crois.
Mad. Morvan. Hôtel de France   Douarnenez.
Théoph. Funck-Brentano. rue Albani 5.
Frz. Funck-Brentano
Bibl. del Arsenal   1. rue de Sully.
Louis F. Br.
rue de Commaille 4.
Jules Kienlin
107, Quai d'Orsai ⟨sic!⟩
Pagnon   30. Boulevard Haussmann.
Steriadi Jehlex
4, rue Bardinet.

Addressen:
Brasserie universelle. avenue de l'Opéra.
Julien Restaur. Boulev. des Ital. très bon, pas plein, assez cher.
Hôtel Ronceray
Terrasse Jouffroy
Boul. Montmartre 10.
Maison Marguéry   Boulev. Poissonier.
Taverne du Panthéon, pas loin du Luxembourg. très bon. y sont des étudiants.
Versailles: Vatel rue des Réservoirs. ancienne maison. très bon.
plus cher et plus élégant: Hôtel des Réservoirs. beau balcon.
Voisin rue St Honoré. Trés bon, solide mais très cher.

II

Zur Kunsttheorie

(2-13)

(2)

Über das Tier in der Kunst

Meine Ziele liegen nicht in der Linie besonderer Tiermalerei. Ich suche einen guten, reinen und lichten Stil, in dem wenigstens ein Teil dessen, was mir moderne Maler zu sagen haben werden, restlos aufgehen kann. [Und das wäre vielleicht ein] ⟨Ich suche mein⟩ Empfinden für den organischen Rhythmus aller Dinge ⟨zu steigern⟩, [ein pantheistisches Sichhineinfühlen] ⟨suche mich pantheistisch einzufühlen⟩ in das Zittern und Rinnen des Blutes in der Natur, in den Bäumen, in den Tieren, in der Luft – – –; ⟨– suche⟩ das zum [»Bilde«] ⟨Bilde zu⟩ machen, mit neuen Bewegungen und mit Farben, die unseres alten Staffeleibildes spotten. In Frankreich schult man sich seit mehr als einem halben Jahrhundert [auf] ⟨für⟩ dieses Thema. Von Delacroix und Millet über Degas, Cézanne zu van Gogh und den Pointillisten führt ein gerader Weg; und die jüngsten Franzosen sind in einem wundervollen Wettlauf nach diesem Ziel begriffen. Nur gehen sie, sonderbarerweise, dem natürlichsten Vorwurf für diese Kunst sorgfältig aus dem Wege: dem *Tierbild*. Ich sehe kein glücklicheres Mittel zur »*Animalisierung* der Kunst« [, wie ich es nennen möchte,] als das Tierbild. Darum greife ich danach. [Was wir anstreben, könnte man eine Animalisierung des Kunstempfindens nennen; bei] ⟨Bei⟩ einem van Gogh oder einem Signac ist alles animalisch geworden, die Luft, selbst der Kahn, der auf dem Wasser ruht, und vor allem die Malerei selbst. Diese Bilder haben gar keine Ähnlichkeit mehr mit dem, was man früher »Bilder« nannte.

Meine Plastik ist ein tastender Versuch nach derselben Richtung. Das Kreisen des Blutes in den beiden Pferdekörpern, ausgedrückt durch die mannigfachen Parallelismen und Schwingungen in den Linien. Der Beschauer sollte gar nicht nach dem »Pferdetyp« fragen können, sondern das innerlich[e,] zitternde Tierleben herausfühlen. Ich habe absichtlich getrachtet, den Pferden jedes besondere Rassezeichen zu nehmen. Daher z.B. das Gewaltsame der Gliedmaßen, das gewissermaßen unpferdehaft ist.

(3)

⟨Aufzeichnungen auf Blättern in Quart⟩

[Können wir uns ein Bild machen, wie wohl Tiere uns und die Natur sehen?]

Gibt es für Künstler eine geheimnisvollere Idee als die [Vorstellung], wie sich wohl die Natur in dem Auge eines Tieres spiegelt? Wie sieht ein Pferd die Welt oder ein Adler, ein Reh oder ein Hund? Wie armselig, [ja] seelenlos ist unsre [Gewohnheit] Konvention, Tiere in eine Landschaft zu setzen, die unsren Augen zugehört statt uns in die Seele des Tieres zu versenken, [daß wir das seinen Blick Weltbild] um dessen Bilderkreis zu erraten.

[Diese Betrachtung soll keine müßige causerie sein, sondern uns zu den Quellen der Kunst führen.]

In diesem Gedanken stecken viele; versuchen wir seine Kristallisationskraft zu prüfen.

[Er ist eine erschreckende [That] Erkenntnis des Malers] [Wie selten sind die Stunden, in denen wir] Er [bringt] zeigt uns verächtlich den strengen allzuengen Zirkel zum Bewußtsein, in dem wir Maler uns bewegen.

Hat es einen Sinn, einen Apfel zu malen und dazu [eine Zimmerecke] die Fensterbank, worauf er liegt? Was hat der schöne runde Apfel mit der Fensterbank gemein? Wenn man das Problem auf »Kugel und Fläche« stellt, so fällt der Begriff Apfel im Ernste weg; man geht dabei einen interessanten Seitenweg, den uns wundervolle Maler heute entdeckt haben, wie wenn wir aber den Apfel, den schönen Apfel malen wollen? oder das Reh im Wald? oder die Eiche?

Was hat das Reh mit dem Weltbild zu thun, [wie] das wir [es] sehen? Hat es irgendwelchen vernünftigen oder gar künstlerischen Sinn, das Reh zu malen, wie es unsrer Netzhaut erscheint oder in kubistischer Form, weil wir die Welt kubistisch fühlen? Wer sagt mir, daß das Reh die Welt kubistisch fühlt; es fühlt sie als »Reh«, die Landschaft muß also »Reh« sein. Das ist ihr Prädikat. Die künstlerische Logik von Picasso Kandinsky Delaunay Burljuk etc. ist vollkommen und einwandfrei; sie »sehen« das Reh gar nicht und kümmern sich nicht darum; sie geben »ihre« innerliche Welt; das Subjekt

[Es gibt aber eine Gegenbewegung in der Kunst, einen Gegenpol, der um so schärfer sich zeigt, je schärfer jener Pol sich aczentuiert im Satze. Naturalisten gaben das Objekt. Das Schwerste, im Grunde auch,] das Wichtigste, das Prädikat wird selten gegeben. Das Wichtigste in einer Gedankenfolge ist das Prädikat. Subjekt ist seine Prämisse. Das Objekt ein [meist] belangloser Nachklang, der den Gedanken spezialisiert, banalisiert. Ich kann ein Bild malen: das Reh.

Pisanello hat solche gemalt. Ich kann aber auch ein Bild malen wollen: »das Reh fühlt«. Wie unendlich feinere Sinne muß ein Maler haben, das zu malen! Die Ägypter haben es gemacht. Oder die »Rose«. Manet hat sie gemalt. Die Rose »blüht«, wer hat das »Blühen« der Rose gemalt? Die Inder. Das *Prädikat*.

Wenn ich einen Kubus darstellen will, kann ich ihn darstellen, wie man gelehrt wird, eine Cigarrenkiste oder dgl. zu zeichnen. Damit gebe ich seine äußere Form wie sie optisch erscheint, das Objekt, nichts weiter. Und kann es gut oder schlecht machen. Ich kann aber auch den Kubus darstellen, nicht wie ich ihn sehe, sondern [wie ich ihn fühle. Gefühle durchdringen die Gegenstände, Materie; und machen reinen geistigen] [Picasso sieht in der Materie [etwas] rein geistiges. Er malt seine subjektive Geistigkeit, aber er bleibt bei der toten Materie.] was der Kubus ist, sein Prädikat. Die Kubisten waren die ersten, die [das Prädikat] nicht den Raum gemalt haben, das Subjekt, sondern von dem Raum etwas »ausgesagt« haben, das Prädikat des Subjekts gegeben haben. Typisch ist bei unsern besten Malern die Vermeidung des Lebendigen. [Stilleben] Die sogenannte tote Natur suchen sie mit ihrem Geist lebendig zu machen.

Kandinsky liebt das Lebendige leidenschaftlich, macht es aber zum Schemen, um zur großen künstlerischen Form zu kommen.

Man gibt das Prädikat der stillen, [toten] Natur; das Prädikat des Lebendigen zu geben bleibt ungelöstes Problem.

Wer vermag das Sein des Hundes zu malen, wie Picasso das Sein einer kubischen Form malt [im Themenstil der Musiker].

Ich muß mich, ohne Aufforderung, gegen den Gedanken wehren, daß am Ende der Leser aus der Thatsache, daß ich oft Tiere [und Figuren] male, den unberechtigten Schluß ziehe, ich dächte bei diesen Erörterungen an meine eigenen Sachen. Die Sache liegt vielmehr so, daß die Unzufriedenheit über mein eigenes Schaffen mich zum Nachdenken zwingt und diese Zeilen hervorruft.

Das Groteske:

aus der Alltäglichkeit herausgenommen. wirkt daher viel stärker; man hat das Gefühl des Eigenlebens, dem man ohne Prämissen glaubt, gern glaubt, wie Märchen.

Größer ist die *naive Darstellung*, die die Wirkung des Grotesken [das oft ein billiges, gefährliches Mittel ist] erreicht.

[Das Recht auf Groteske haben wenige. Mittelalter; von den modernen Beard⟨s⟩ley.]

(4)

Die neue Malerei

Die denkwürdigsten Jahre der modernen Kunstentwicklung bleiben die 9oer Jahre des vergangenen Jahrhunderts, in denen der französische Impressionismus sich in seinem eigenen Feuer verzehrte, während aus seiner Asche sich phönixgleich ein Schwarm neuer Ideen erhob, Vögel mit bunten Federn und mystischen Schnäbeln.

Es entstand in der Kunst eine Spannung ohnegleichen; sie tötete den starken, armen van Gogh; Gauguin flüchtete nach Tahiti; Seurat blieb der Welt die schönsten Werke schuldig; Cézanne allein blieb stark und ganz groß und schuf als Mittler zweier Zeiten doch vollkommene Werke; wie muß er gelitten haben an dieser Aufgabe!

Der kluge Matisse umging die Gefahr, ein Charakter ähnlich wie Hodler. Die beiden beachten die Gewissensnot ihrer Zeit nicht, sondern zeigen ihr, wie sie schnell und einfach gesunden könnte. Sie sehen nicht weit in die Zukunft und unterschätzen den Charakter der Jungen, deren Weg heute steinig und schwer zu finden ist. Diese gingen auch nicht lange mit Matisse und Hodler, sondern scharten sich um Picasso, den Kubisten und logischen Exegeten Cézannes; denn in dessen zauberhaften Werken liegen latent alle Ideen des Kubismus und der neuen Konstruktion, um welche die neue Welt ringt.

Ich muß die Kenntnis dieser modernsten Werke Frankreichs und Deutschlands voraussetzen, sowie man andererseits bei mir die Bekanntheit mit den – etwas sentimentalen – Einwänden voraussetzen darf, die gegen diese Entwicklung der künstlerischen Ausdrucksformen erhoben werden. Sie klingen alle, geschickter oder ungeschickter gefaßt, in dem Vorwurf aus: Ihr seid alle logisch, allzulogisch; Ihr seid Literaten, keine Maler; Ihr seht vor lauter Formen die Natur nicht mehr; fühlt und hört doch, wie die Wälder rauschen und die Pfirsiche duften! Ihr aber malt nur Stangen und Kugeln!

An diesem Punkte beginnt der Streit: Wer glaubt sich dem Herzen der Natur näher, die Impressionisten oder die Jüngsten von heute? Es gibt kein Maß, mit dem hier zu messen wäre; es gilt aber die Tatsache zu erhärten, daß wir uns in unseren Bildern dem Herzen der Natur mindestens ebenso nahe glauben als Manet, wenn er durch raffinierte Wiedergabe der äußeren Form und Farbe des Pfirsichs oder der Rose ihren Duft zu verraten und ihr inneres Geheimnis fühlbar zu machen suchte. Wir glauben sogar, daß er zu letzterem sehr unzulängliche Mittel benutzte. Schon Cézanne grübelte über neue Mittel tiefer in die organische Struktur der Dinge zu blicken und letzten Endes ihren inneren, geistigen Sinn zu geben.

Die Legende erzählt, daß Cézanne gegen Ende seines arbeitsreichen Lebens über die Grausamkeit des Schicksals klagte, das ihm den Pinsel in dem Moment aus der Hand nahm, in dem ihm die Erkenntnis dämmerte, wie er eigentlich malen sollte; und in seinen letzten Werken hat er Ideen Gestalt gegeben, die dem damals triumphierenden Impressionismus tödlich wurden und der Malerei der heutigen Generation den stärksten Impuls gegeben haben.

Die Legende wird nicht zu erweisen sein, vielleicht zu widerlegen. Wozu muß der ehrwürdige Cézanne heute oft herhalten! Und man sagt uns im besten Falle: quod licet Jovi, non licet bovi, und wozu das Genie sich nach einem Leben von Mühsal durchgerungen, damit dürft Ihr nicht Wucher treiben. Es ist unter der Würde von Malern, darauf zu antworten; denn es heißt ungefähr, daß wir wie leichtfertige Buben arbeiten, ohne Gewissen und Selbstzucht; und außerdem verrät der Vorwurf selbst eine nicht geringe historische Leichtfertigkeit: haben es etwa die großen und kleinen Impressionisten ihrerzeit anders gemacht? Was haben sie von ihren Vätern Delacroix, Rousseau, Daubigny und Courbet genommen? Hat man ihren pleinairistischen Monomanien nicht dasselbe vorgeworfen wie unsern pleinairfremden Konstruktionsideen?

Bei allem Respekt und aller tiefen Liebe zu den großen Impressionisten und Pleinairisten des 19. Jahrhunderts denken wir sogar, daß unsere heutigen Kunstideen auf eine ältere Tradition und Schulung sich berufen können als jene. Wir suchen heute unter dem Schleier des Scheines verborgene Dinge in der Natur, die uns wichtiger scheinen als die Entdeckungen der Impressionisten und an denen diese einfach vorübergingen. Und zwar suchen und malen wir diese innere, geistige Seite der Natur nicht aus Laune oder Lust am anderen, sondern weil wir diese Seite *sehen*, so wie man früher auf einmal violette Schatten und den Aether über allen Dingen »sah«. Das Warum können wir für jene so wenig bestimmen wie für uns. Es liegt in der Zeit.

Hier ist der springende Punkt des Gedankenganges: wir weisen wohl, um des natürlichen, historischen Zusammenhanges willen, auf einige Meister des 19. Jahrhunderts (Cézanne, Seurat, v. Gogh, Renoir, Degas und den heute oft geschmähten Gauguin) und zeigen Stellen in ihren Werken, wo wir deutliche Vorahnungen der ihnen folgenden Kunstbewegung sehen zu dürfen glauben; in der Tat ist das Verhältnis vielleicht lockerer als es scheint. Die neue Bewegung taucht heute an allen Enden mit elementarer Gewalt und Einmütigkeit auf; es ist kein Pariser Ereignis, sondern eine europäische Bewegung.

Unter den Verständigen und Vorurteilsfreien geht der Streit nur um *Qualität.* Hier sind die Waffen und der Angriff frei. Wer aber will sich zum Richter machen über seine eigene Zeit? Ich glaube, daß nur wenige unsrer unfreundlichen Gegner mit derselben Sehnsucht und Tatkraft wie wir die Welt nach Künstlern absuchen, die den modernen Ausstellungen eine »Qualität« zuführen, die auch den Widerwilligsten auf die Knie zwingt. Wer andrerseits ist der Richter, der sich unterfängt, laut zu entscheiden, ob wir nicht die eine oder andere Qualität in unsern Reihen haben? Wir behaupten es nicht, wir lehnen aber auch stolz die Schmähungen ab. Sucht Besseres!

Jede Zeit hat ihre Qualität.

Aber sendet als Apostel keine Schulmeister oder Kritiker auf die Suche nach Genies aus.

Will man den *äußeren* Hebel der Bewegung suchen, so kann man ihn vielleicht in der historischen Forschung des 19. Jahrhunderts erkennen, die uns die ältesten Kunstgeschehnisse in unabsehbarer Fülle vorführt; der Eindruck wurde mit jedem Jahr überwältigender; er bewirkte eine Renaissance der Kunstideen, in der Wirkung nicht unähnlich der italienischen Renaissance; man werfe uns keine Ueberhebung in diesem Vergleiche vor; wir stehen im Beginne der Bewegung; erst die kommenden Jahrzehnte, vielleicht Jahrhunderte werden lehren, wie tief die Wirkung war.

Zweifellos hat die Kunst dadurch ihren aktuellen Alltagscharakter verloren; der Mensch anderen Berufes, der sich nicht fortwährend mit diesen Ideen beschäftigt, gerät außer Atem, wenn er ihr folgen will. Daher die oft wütende Stimmung gegen uns und das geistige Tempo, das in der Kunst angeschlagen wird. Diese böse Stimmung ist uns tiefschmerzlich; aber es liegt nicht in unserer Macht, sie heute umzubiegen. Wir sehen voll Erwartung auf die aufwachsende Generation, die uns ohne Mühe verstehen und folgen wird. Sie wird nicht fühlen, was wir unsern Zeitgenossen angetan haben; daß wir mit einem Schnitt den unentwirrbaren Knoten zerhauen haben, in dem sich die Kunstbegriffe des 19. Jahrhunderts verwickelt hatten. Man sagt es uns wenigstens nach, daß wir ihn zerhauen haben; ich glaube mehr, er zerfiel von selbst.

Vor unserer Zeit können wir uns nur immer wieder gegen den schweren Vorwurf wehren, der die bona fides unseres Schaffens angreift und behauptet, wir »machten« die Bewegung, wir schafften Formen wie der Warenhauskünstler, der auf immer neue Sensationen im Auslagefenster sinnt. Glaubt man denn im Ernste, daß wir neuen Maler unsre Formen nicht aus der Natur holen, sie nicht der Natur abringen, so gut wie jeder Künstler aller Zeiten? Es gibt kaum eine lächerlichere und verständnislosere Form, unsre Bestrebungen abzutun als eben diese: uns Hochmut und Kälte vor der Natur vorzuwerfen. Die Natur glüht in unsern Bildern wie in jeder Kunst. Nur ein Auge, das nicht sehen will und sich auch vor jeder historischen Kunsterinnerung verschließt, kann uns so gröblich mißverstehen.

Der Streit über den künstlerischen Wert oder Unwert der neuen malerischen Ideen wird ja so schnell nicht zu Ende kommen. Er soll es auch gar nicht. Nur soll er auf eine förderliche Basis gestellt und mit männlicherem Verstand und mit mehr Sachkenntnis geführt werden, als es heute allenthalben geschieht. Er soll aus dem circulus vitiosus, in dem er sich heute, unter den laienhaftesten Mißgriffen, trostlos bewegt, herausgeführt werden auf ein Niveau der Diskussion, in der Künstler zueinander reden und der leidige Streit um dumme Worte uns erspart bleibt, für den uns der verehrungswürdige Cézanne und andere Meister viel zu lieb sind.

Gegenüber der Welt der Philister haben wir eine Kampfesweise, die uns vor *ihr* sicher zum Siege hilft: wir werden vor ihr einen solchen Reichtum von Bildern aufstellen, daß sie bald kleinlaut wird und verstummt.

Woher wir diesen Reichtum nehmen?

Von allen Enden der Welt! Die Kunst selbst kommt uns zu Hilfe; sie zeigt uns täglich, daß wir mit unsern Ideen und Bildern nur Werkzeug eines großen, neuen Wachstums sind, das sich überall regt, an Orten und in Ländern, die nie einen Picasso oder Cézanne gesehen; der Wind führt die neuen Ideen über die Länder. Es hilft nichts, sich dagegen zu wehren; unsere Kinder kommen damit auf die Welt; und die Kinder werden gegen die Väter zeugen.

Und die Einsichtigen?

Warum wollen sie die Kunst in Bahnen zwingen? Können sie den freien Winden ihre Bahnen vorschreiben? Sie können sich höchstens Schutzhütten bauen, Akademien, die einem frierenden, alternden Geschlechte Zuflucht gewähren; die Jungen werden immer wieder ihre Brust im Winde baden.

Oder ohne Bild gesprochen: Natur ist überall, in uns und außer uns; es gibt nur etwas, das nicht ganz Natur ist, sondern vielmehr ihre Überwindung und Deutung, und dessen Kraft von einem *uns unbekannten* Stützpunkte ausgeht: die Kunst. Die Kunst war und ist in ihrem Wesen jederzeit die kühnste Entfernung von der Natur und der »Natürlichkeit«, die Brücke ins Geisterreich, die Nekromantik der Menschheit. Unverständnis und Angstgefühl vor ihren immer neuen Formen verstehen wir, – Kritik nicht.

(5)

Die konstruktiven Ideen der neuen Malerei

In der Chronik des Lorenzo Ghiberti steht eine merkwürdige Betrachtung, die ein lehrreiches Streiflicht auf die künstlerischen Ideen seiner Zeit wirft. Ghiberti spricht von Masaccio und erwähnt dabei bewundernd und als Zeichen des ungeheuren Fortschrittes, den die Malerei durch Masaccio gemacht habe, »daß er die von vorn gesehenen Füße untadelhaft zeichnete, da bisher nach alter, ungeschickter Weise die Figuren auf den Zehenspitzen stehend dargestellt worden waren«. Das heißersehnte Vermögen »richtiger« Naturwiedergabe steigerte sich damals langsam bis zu den Werken der Spätrenaissance, die nichts mehr zu entdecken fand und mit dem errungenen Können zu spielen begann und damit den schnellen künstlerischen Verfall einleitete; erst Frankreich griff im 19. Jahrhundert das alte Thema wieder auf und gelangte von der rein organischen Perspektive der Renaissance zu der berühmten Entdeckung des atmosphärischen Kolorits und der impressionistischen Erscheinung.

Wir haben das Ende dieser Bewegung schon erlebt; was heute noch mit diesen Mitteln geschaffen wird, ist ein im besten Falle geistreiches, oft auch ein totlangweiliges Spiel.

In beiden Entwicklungen war die Wissenschaft der Kunst zu Hilfe gekommen. Die Kunst der Renaissance bewahrte sich, dank der unzulänglichen Mittel der damaligen Wissenschaft, eine große Straffheit, die sie uns noch heute so hehr und ehrwürdig erscheinen läßt. Die Bewegung des 19. Jahrhunderts aber ging an der Überlegenheit seines mächtigen Freundes, dessen Hilfe sie sich geliehen und der dem Geiste des 19. Jahrhunderts eine Richtung gab, zugrunde. Die Kunst des Volkes und der Künstler wurde in einem kleinen Sarge zu Grabe getragen: der Kamera.

Dagegen setzt heute gleichzeitig eine ganz neue, in der Kulturwelt universale Bewegung ein, der alle Künste unterliegen. Diese Bewegung nimmt, soweit sie heute überhaupt historisch zu fassen ist, eine umgekehrte Richtung als alle früheren, in denen das Wollen und Können zu immer größerer Übereinstimmung mit dem äußeren Naturbilde strebte, das mit seinem hellen Tageslichte die geheimnisvollen und abstrakten Vorstellungen des Innenlebens verscheucht. Im Gegensatz hierzu strebt die neue Bewegung auf einem anderen Wege zurück zu den Bildern des Innenlebens, das die Forderungen der wissenschaftlich faßbaren Welt nicht kennt. Wir sagen mit Nachdruck: auf einem *anderen*

Wege, denn soweit die neuen Maler nur die Ausdrucksformen der ihnen wesens-
verwandten Primitiven wiederholen, bereiten sie vielleicht den Boden und
leiten zu Neuem über, aber geben unserer Zeit nichts Positives an neuen Wer-
ten. Aber der neue Weg ist heut schon begangen und jeden Tag brechen sich
zu ihm neue Künstler ihre Bahn.

Sprach man früher von der »Göttlichkeit« der Kunst, so kreisen heute die
Ideen um das tiefe Problem, die Gesetzmäßigkeit dieser göttlichen Wirkungen
zu erforschen und den Eigengehalt von bis jetzt noch fast ganz unerkannten
Gesetzen zu zeigen, den jedes Kunstwerk versteckter oder offener enthält; und
zwar stimmen diese Gesetze durchaus nicht überein mit den Gesetzen unserer
Naturwissenschaft. Die künstlerische Wirkung eines gemalten Aktes hat nicht
das Geringste mit den wissenschaftlichen Bildungsgesetzen einer Figur zu tun;
sie *kann* ihnen äußerlich folgen, sie *muß* aber durchaus nicht. Ja, man entdeckte, daß die reinkünstlerische Wirkung meist stärker ist, wo die wissenschaftlichen Bildungsgesetze nicht gewußt oder ignoriert wurden. Dieser
Widerstand gegen die naturalistische Form entspringt nicht etwa einer Laune
oder Originalitätssucht, sondern ist vielmehr das Begleitmoment eines viel
tieferen Wollens, von dem unsere Generation durchglüht ist: Dem Drang nach
Erforschung der metaphysischen Gesetze, den bisher fast nur die Philosophie
praktisch kannte.

Die Wahrnehmung, daß es noch eine ganz andere Gesetzeswelt gibt als die
heute allein anerkannte naturwissenschaftliche Disziplin, bewegt heute alle
Gemüter. Letztere vermag z. B. nicht, Konstruktionsfehler in einem Bilde von
Picasso oder *Kandinsky* zu erweisen und versteht die künstlerische Richtigkeit
von Formen nicht anders nachzuprüfen als mit ihren optischen Erfahrungs-
gesetzen, während der Bildungstrieb des Künstlers unentrinnbaren Gesetzen
folgt, die für das Innenleben des Menschen die einzig bestimmenden sind. Die
heutige Kunst sucht sich mit ihren Ausdrucksformen direkt diesem Innenleben
zuzuwenden und entkleidet darum ihre Werke von der äußerlichen Hülle, in
die ihre Vorgänger, der Geistesrichtung ihrer Zeit folgend, ⟨sie⟩ gesteckt
haben. Selbstverständlich blieb jenen eine große, künstlerische Wirkung nicht
versagt. Das Ausschlaggebende bleiben hier stets die großen schöpferischen
Persönlichkeiten, die über das Zeitliche und Bedingte ihrer Ausdrucksformen
hinauswachsen. Aber die Kunstanschauungen, die die Allgemeinheit aus ihren
Werken folgerte, und die Schule, die sie in Europa und nicht zum wenigsten in
Deutschland machten, scheint uns im höchsten Grade unheilvoll; heute ist die
ganze Welt glücklich so weit, die »schön gemalte« Winterlandschaft für Kunst
zu halten, auch wenn ihr Verfertiger kein Lot Kunstgefühl besaß und sie ledig-

lich nach den lernbaren Gesetzen der Optik mit freundlicher Hilfe der Kamera zurechtgemalt hat. Wenn aber heute ein künstlerisch Hochbegabter auf ein Blatt Papier einige dunkle Linien zieht, in denen er bewußt oder instinktiv (d.h. mit anderen Worten: als Künstler oder Laie) den geheimnisvollen Wirkungsgesetzen der Kunst gehorcht, *lacht ganz Deutschland* über seine Prätention, daß diese unverständlichen Linien irgend etwas mit Kunst gemein haben sollen. Ist er ein Künstler, so greift man ihn wie einen *gemeinen Schwindler* an. Aber die schöne Winterlandschaft! das war was anderes! So stumpf sind die Sinne geworden gegenüber künstlerischer Form, so banal das Auge, daß es den äußerlichsten Naturvergleich als ein brauchbares Kriterium von Kunst ansieht, so denkfaul das Hirn, daß es den Nachahmungstrieb vom Kunsttrieb nicht mehr zu unterscheiden vermag! Volkskunst, d.h. Gefühl im Volke für künstlerische Form kann erst dann wieder erstehen, wenn der ganze Wirrwar von verdorbenen Kunstbegriffen des 19. Jahrhunderts aus dem Gedächtnis der Generationen getilgt ist; die großen Werke, die das Jahrhundert hervorgebracht hat, sind wie alle großen Werke unverletzlich. Aber wohl nicht alle werden bleiben, die heute noch in höchster Schätzung stehen. Daß z.B. ein gutes Bild von Sisley uns künstlerisch ergreift, beruht natürlich darauf, daß Sisley als Künstler jene tiefere Gesetzlichkeit der Bildform instinktiv erfaßte; aber zuweilen gelang ihm dies in der Befangenheit seines pleinairistischen Programmes, das ihn verwirrte, auch nicht; und manchem seiner Zeitgenossen erging es ähnlich. Man erschrickt vor der Leere dieser Bilder, die nur dem »Scheine der Natur« nachgebildet sind.

In diesem Gedankengange sind die oft so schwierigen Unterscheidungsmerkmale von »starken« und »schwachen« Bildern zu suchen. Sehr instruktive Beispiele liefert zu diesem Thema die japanische Kunst. Ein mit ihr innig Vertrauter könnte kein glücklicheres Material von Beispielen und Gegenbeispielen finden, um eine Dogmatik des »Seelenstaates«, der seine eigenen Gesetze und Organisationen hat, aufzubauen.

Heute liegen, soweit ich es zu übersehen vermag, nur zwei Versuche vor, die Grundlagen einer solchen Dogmatik zu schaffen. Einmal das geistreiche Buch von *Wilhelm Worringer*, Abstraktion und Einfühlung, das heute die allgemeinste Beachtung verdient und in welchem von einem streng historischen Geiste ein Gedankengang niedergeschrieben wurde, der den ängstlichen Gegnern der modernen Bewegung einige Beunruhigung verursachen dürfte. Das andere, »Über das Geistige in der Kunst«, ist von dem *Maler W. Kandinsky* geschrieben; es enthält Ideen zu einer *Harmonielehre der Malerei*, in der die uns heute faßbaren Gesetze über die Wirkungen von Formen und Farben formuliert werden und zugleich in seinen Bildern die lebendigste Gestalt gewonnen haben. Ein Buch über den Kubismus ist meines Wissens noch nicht geschrieben. Aber die Jünger des Kubismus lernen Algebra und Stereometrie mit derselben Gründlichkeit, mit der man ehedem naturwissenschaftliche Anatomie studierte. Eine andere »Körperlehre« erhitzt heute die Gemüter als zur Zeit Masaccios. Wie weit die ehernen Gesetze der Mathematik den lebendigen Gesetzen unseres Innenlebens homogen sind, wage ich hier nicht zu erörtern. Lieber weise ich auf die wundervoll lebendigen und tiefen Bilder dieser Künstler ihn, die die mathematische Zucht nur im guten Sinne verraten, vielleicht in einem analogen Sinne, in dem früher die anatomische Schulung des Künstlers sich in seinen Bildern beruhigend fühlbar machte.

Es ist ungeheuer schwer, ohne Bildermaterial dem Laien einen Begriff von dem Sinn der konstruktiven Ideen in der neuen Malerei zu geben; vielleicht versteht man mich, wenn ich damit anfange, daß unsere konstruktiven Ideen so ungefähr das *Gegenteil vom »Stilisieren«* sind, um von vornherein dem unheilvollsten Mißverständnisse zu begegnen, das diese beiden Begriffe zusammenzuwerfen liebt. Es geschieht dies wirklich und leider auch von »modernen« Malern und Plastikern. Um durch Stilisieren seiner Kunst resp. seiner eigenen Armut auf die Beine zu helfen, stellt man sich vor die gütige, immer geduldige Natur und hobelt und biegt an ihr herum, bis das Bild den ersehnten modernen Schnitt hat; es ist Pseudo-Kunst, mit der wir uns nicht auseinanderzusetzen haben. Der echte Künstler ging zu allen Zeiten von konstruktiven Bildideen (der Inspiration) aus, die so alt sind wie die Kunst selbst; neu ist ihre heutige, nackte *Anwendung*, die keinen »Fremdkörper« im Bilde leidet, von denen die Kunst unserer Vorgänger zuweilen wohl zuviel hatte. Dies ist die »*große Umwälzung*«, – in Dingen der Kunst, allerdings groß genug, um diesen Titel zu verdienen; denn es bedeutet nicht mehr und nicht weniger, als die kühne *Umkehr alles Gewohnten.* Man hängt *nicht mehr am Naturbilde*, sondern *vernichtet* es, um die mächtigen Gesetze, die hinter dem schönen Scheine walten zu zeigen. Mit Schopenhauer geredet, bekommt heute die Welt als Wille vor der Welt als Vortellung Geltung. Es ist unmöglich, hier die mannigfachen Gesetze der »inneren Konstruktion« zu erörtern. Die Versuche dazu sind heute noch zu tastend und zu mannigfaltig, um einen Wissenskomplex zu bilden, auf den man weisen könnte. Ihr Charakter ist – Geheimwissenschaft, deren Logik ihren Priestern heute noch fast ebenso verborgen ist wie der Menge. Nur die Werke triumphieren!

(6)

Anti-Beckmann

Herr Max Beckmann hat auf meinen Artikel über die »neue Malerei« eine Entgegnung gebracht, deren Gedanken leider nicht zu einer eingehenden Diskussion einladen; sie machen den Eindruck, daß Herr Beckmann meine Ausführungen kaum recht gelesen hat. Zum Belege kann ich fast jede Zeile heranziehen; so z.B. die Erzählung von Cézannes Urteil über Gauguin, das mir wohlbekannt ist. Ich habe aber nicht Gauguin, sondern Picasso und seinen Kreis als Nachfolger Cézannes bezeichnet. Picassos ganzes Werk geht im unablässigen Studium von »Plastik und Tonwert« auf, das auch Cézannes Leitstern war.

Und wie ist es nur möglich, als Maler von »Matisse-Stoffen« und »Picasso-Schachbrettchen« zu reden! Diesen Ton könnte Herr Beckmann ruhig den Herren von Ostini, Eßwein und Konsorten überlassen. Jedenfalls sehe ich, daß mein aufrichtiges Bemühen, die Diskussion »auf eine förderliche Basis zu stellen, damit sie mit männlicherem Verstand und mehr Sachkenntnis geführt wird«, nichts gefruchtet hat. Wie sollte es auch bei einem Gegner, der den Begriff »Qualität« folgendermaßen definiert:

»Auch ich will nun einmal von Qualität reden. Qualität, wie ich sie verstehe. Den Sinn nämlich für den pfirsichfarbenen Schimmer einer Haut, für den Glanz eines Nagels, für das künstlerisch Sinnliche, was in der Weichheit des Fleisches, in der Tiefe und Abstufung des Raumes, nicht nur in der Fläche, sondern auch in der Tiefe liegt. Und dann vor allem in der Materie den Schmelz der Ölfarbe, wenn ich an Rembrandt, Leibl, Cézanne denke oder die geistvolle Struktur des Striches bei Hals.«

Nein, Herr Beckmann, Qualität erkennt man nicht am Glanz des Nagels oder am schönen Schmelz der Ölfarbe; mit *Qualität* bezeichnet man die *innere Größe* des Werkes, durch die es sich von Werken der Nachahmer und kleinen Geister unterscheidet. Leibls Werke haben Qualität, – die Werke seiner Nachfolger meist nicht, da der Geist nicht hinter ihnen steht.

Und die alte Geschichte mit dem Kunstgewerbe! Ich werde von heute ab alle Kritiker in Schutz nehmen; die Professionsmaler sind ja um kein Haar besser.

Nein, wirklich, hier kann man nicht nutzbringend diskutieren. Da verstände ich selber noch besser, mich zu widerlegen; statt dessen suchte ich aber lieber meinen ersten Artikel durch einen folgenden zu ergänzen, in dem ich über die konstruktiven Ideen der neuen Malerei sprach.

(7)

⟨Aufzeichnungen auf Skizzenblättern⟩

Aber die Arbeiten und Wunder sind noch [nicht im vollen Gange. Jeder Tag bringt] nicht vollendet. Jeder Tag bringt Neues; Länder erwachen. Ein unerbittlicher Wille zwingt alle an die Arbeit. Keiner sieht links und rechts. Selbst für die beiden uralten Tröster, Religion und Kunst, findet der moderne Arbeiter keine Muße. Man steckt ihm schnell Surrogate zu, dummen Tand, aus alten Zeiten bequem und schnell zusammengestückelt; wozu Mühe daran verschwenden. Der moderne Sklavenmensch hat doch keine Zeit! Während dieses ungeheuren Arbeitslebens [lebt wirken] ringen einige wenige Künstler um das schwere fast unfaßbare Problem der [mod] Kunst, die zu diesem Märchenzeitalter gehört. [Sie schleudern die] In Verachtung der Pseudokunst dieser Tage schaffen sie neue Werte, unbekümmert [von dem] um das verwunderte und oft so häßliche Lachen, [das der] mit dem der an seine große Arbeit geschmiedete moderne Mensch seine erstaunlichen Werke ansieht.

Wie sollte [er die Werke erkennen aus dem] der, der im Gewühl der Straße steht, die neuen Werke erkennen, wie sollte er [bei] unter dem Dröhnen der Maschinen die neuen Worte hören. Wie sollte das wunderbare technische Manifest Marinetti's über »Die futuristische Literatur« an die Ohren des modernen Arbeiters dringen? Wir wundern uns nicht über das Unverständnis, das unsre und unser Kollegen Kunst umstarrt, aber wir wissen, daß eine Zeit der Reife, des Aufatmens kommen wird, in der man erstaunt und beglückt [unsre Werke am] die künstlerische Arbeit erkennen wird, die wir für unser Zeitalter geleistet haben werden; [und man wird mit der Kunst die Altäre] dann wird es wieder eine Kunst in Europa geben.

Wir verstehen zu trennen: Form von Farbe, Gegenstand von Form, Durcheinandermengen des einen und anderen, aber immer das Bewußtsein wach halten, daß sie nicht ein's sind sondern 3 Welten, die sich kreuzen.

Früher war alles eins Form Farbe Gegenstand; dann begann Farbe und Gegenstand sich zu trennen, – Impressionismus [sein tieferer Sinn], bis es [heute] gelang, auch die Form an sich herauszuholen; jetzt haben wir alle 3 Elemente.

(8)

Religiöses

Es ist unglaublich, wie wenig die Menschen von heute aus Museen lernen. Warum schaffen sie Museen, wenn sie nicht daraus lernen wollen? Und sie können *alles* daraus lernen, nämlich das Eine, Große: daß es keine große und reine Kunst ohne Religion gibt; daß die Kunst desto [reiner, echter] künstlerischer war, je religiöser sie gewesen; und umso künstlicher, je unreligiöser die Zeit war. Auch haben die vollkommen recht, die sagen, daß echte Kunst [heute] mit unsrer wissenschaftlichen und technischen Zeit unvereinbar ist, – nur glaube ich, irren sie, wenn sie denken, daß die Kunst sterben wird. Vielmehr ist gewiß, daß die Wissenschaft und die Technik zu kleinen Nebendisziplinen unsres Lebens herabsinken werden; der Taumel über unsre Klugheit wird sich bald legen und die Kunst wird wieder zum großen Gott, ja die Begriffe Gott, Kunst und Religion werden wiederkommen; neue Symbole und Legenden werden in unsre erschütterten Herzen einziehen; [ein Buddha oder Christus] [Will man die Stimmen der großen Propheten, Dostojewsky, Tolstoi und Nietzsche nicht verstehen? Ich habe eine lahme Zunge, die keinen überzeugt; Ich kann nur sagen, was mir mein künstlerisches Gewissen sagt und was ich sagen muß, um zum Thema der Kunst zu kommen.]
Gibt es ein kläglicheres Schauspiel als das Entzücken unsrer Leute über den Fortschritt der Wissenschaften und der Technik? Gibt es etwas beschränkteres und traurigeres als das Triumphgefühl unsrer Leute, alle Religionen überwunden zu haben? Das glauben sie nämlich, die »guten Mitteleuropäer«. Auf was stützen sie ihren Dünkel? z.B. auf Maschinen. Als ob es irgend eine Maschine gäbe, die nicht schlechteste Imitation vergangener Handarbeit des Menschen ist. Surrogat, an dem der Geist verhungert. Eisenbahnen – die platteste Plebejererfindung; Flugmaschine, – kann sie irgendwie dem Geiste dienen? Direkte Beförderung von A nach B, Luftlinie. Das ist doch nichts besonders Geistreiches. Im Gegenteil höchst plebejisch, so gefährlich zu eilen. Der einzige Witz unsrer gesamten modernen Technik und Wissenschaften ist offenbar der, uns vom Denken abzuhalten, *Geist zu sparen*. Wer mit Geist und im Gedanken heute geht, wird wegen Verkehrsstörung in Haft genommen oder überfahren. Es wird aber eine Zeit kommen, in Bälde, da wird man unsre ganze Technik und Wissenschaft grenzenlos langweilig finden; man *wird sie vollkommen liegen lassen*, ja vergessen; man wird gar keine Zeit dazu haben, weil man mit geistigen Gütern handeln wird.

(9)

⟨Aufzeichnungen auf Bogen in Folio⟩

[3. These]
1. und 2. erledigt
[Klarstellung]
3.
[Parenthese:]

Was wir unter »abstrakter Kunst« verstehen. [Was heute] Was heute von abstrakter Kunst existiert, ist nicht viel und das Existierende ist Stückwerk [, Pfahlbauten] und Gestammel. Es ist der Versuch [und die Sehnsucht, die Welt nicht mehr mit dem menschlichen Auge anzusehen und darzustellen, sondern] die Welt selbst zum Reden zu bringen. Der [klassische Mensch] Grieche, Gotiker und Renaissancekünstler stellte die Welt künstlerisch dar wie er sie sah, wie er sie fühlte, wie er sie wollte; der Mensch früherer Zeiten wollte durch die Kunst vor allem sich behaupten; er hat auch erreicht was er wollte, – er hat aber auch alles dafür hingegeben, alles hat er dem einen Ziel geopfert: den homunculus zu konstruieren, die [göttliche] Kraft durch das Präparat zu ersetzen, Geist durch Technik. Der Affe äffte [die Gottheit] seinen Schöpfer nach. Selbst die Kunst zwang er zu seinen Handlangerdiensten. [Die Zeiten sind erfüllt;] der Berg ist erklommen. Der Gipfel ist eine Öde, in der sich der Mensch nicht lange aufhalten wird. Wir leben schon auf der »anderen Seite«, auf der Seite der Nichteitelkeit, [des Nicht-»könnens«, des Nicht-»wissens«,] der Nicht-Anwendung des Wissens. Das Können und das Wissen tragen wir in uns; tonlos; über die Technik des Daseins redet der Edle nicht. Nur das Eine muß geschehen: Die Befreiung der Kunst [, die Befreiung des Edlen vom Gemeinen] aus ihrer [utilitarischen] Maskierung. Die Kunst ist heute nicht mehr dazu da, den Menschen zu großen oder kleinen Vorwänden zu dienen. Die Kunst ist metaphysisch, wird es sein; sie kann es erst heute sein. Die Kunst wird sich von Menschenzwecken und Menschenwollen befreien. Wir werden nicht mehr den Wald oder das Pferd malen, wie sie uns gefallen oder scheinen, sondern *wie sie wirklich sind*, wie sich der Wald oder das Pferd selbst fühlen, ihr [abstraktes] absolutes Wesen, das hinter dem Schein lebt, den wir nur sehen; es wird uns soweit gelingen, als es uns gelingt, den λογος von Jahrtausenden [vergessen] beim künstlerischen Schaffen zu überwinden. Alles künstlerische Schaffen ist a-logisch. Es gibt künstlerische Formen, die abstrakt sind, mit Menschenwissen unbeweisbar; sie hat es zu allen Zeiten gegeben, aber stets wurden sie getrübt von Menschenwissen, Menschenwollen [, von Zwecken]. Der Glaube an die Kunst an sich fehlte, wir wollen ihn aufrichten; er lebt auf der »anderen Seite«.

4.

Wir müssen von nun an verlernen, die Tiere und Pflanzen auf uns zu beziehen und unsre Beziehung zu ihnen in der Kunst darzustellen. Das ist vorbei, muß vorbei sein oder wird wenigstens eines Tages, – oh der glückliche Tag! – vorbei sein. Jedes Ding auf der Welt hat *seine* Formen, seine Formel, die wir nicht mit unsern plumpen Händen abtasten können, sondern die wir intuitiv in dem Grade fassen, als wir künstlerisch begabt sind. Es wird immer Stückwerk bleiben, solange wir in diesem erdgebundenen Dasein stehen, – aber [zehren wir nicht alle heimlich von dem Geisterleben] glauben wir nicht alle an die Metamorphose? Wir Künstler alle, – weshalb suchten wir ewig die metamorphen Formen? Die Dinge wie sie wirklich sind, hinter dem Schein?

5.
Die absolute Malerei

Die Dinge reden: in den Dingen ist Wille und Form. Warum wollen wir dazwischensprechen? Wir haben nichts kluges ihnen zu sagen. Haben wir nicht die tausendjährige Erfahrung, daß die Dinge umso stummer werden, je deutlicher wir ihnen den optischen Spiegel ihrer Erscheinung vorhalten? Der Schein ist ewig flach, aber zieht ihn fort, ganz fort, ganz aus Eurem Geiste weg, – denkt Euch fort samt Eurem Weltbilde, – die Welt bleibt [, in ewiger Bewegung] in ihrer wahren [Kleid] Form zurück und wir Künstler ahnen diese Form; ein Dämon gibt uns zwischen die Spalten der Welt zu sehen und in Träumen führt er uns hinter die bunte Bühne der Welt.

6.

Es ist tief traurig, was für einen Haß gute Kunst heute erregt. Am traurigsten, da der Haß im Grunde einem einfachen Mißverständnisse entspringt. Es ist eine bekannte Thatsache, daß Worte im Laufe der Zeiten ihre Bedeutung von

Grund aus ändern können. Am stärksten Worte, die moralische und geistige Dinge bezeichnen. Das Wort bleibt; aber man versteht heute unter Kunst doch etwas ganz anderes als früher. Da man Vorhandenes, so z.B. die »Kunstproduktion«, niemals gewaltsam vernichten soll, sondern warten, bis es von selber eingeht, mache ich den Vorschlag, daß wir das, was wir unter Kunst verstehen und bisher auch mit dem Namen Kunst bezeichnet haben, wodurch soviel Streit und Haß entstanden ist, mit einem neuen Namen bezeichnen; und zwar muß eine ganz neue Bezeichnung gesucht werden, die unter keinen Umständen irgend eine Konkurrenz mit etwas schon bestehendem wecken kann.

Wir hätten den unbeschreiblichen Vorzug davon, völlig unbehelligt künftig unsere Arbeit zu thun. Vielleicht scheitert der Versuch an der Aufmerksamkeit und dem Mißtrauen der von der Kultur bestellten Zollwächter, die einen fremden Stoff, der einen ihnen unbekannten Namen führt, unbedingt konfiszieren werden, da sie einen Sprengstoff gefährlichster Art in ihm vermuten werden. Bleibt also nur der Ausweg, das Wort Kunst wieder seiner Reinheit zuzuführen und statt zum goldenen Kalbe das Volk wieder zu Gott [beten zu lassen] zurückzuführen.

7.
Grenzen der Kunst

Die merkwürdigste Erscheinung ist die selbstgewollte Unfreiheit der Künstler. Alles spezifisch Künstlerische in der Malerei ist heute streng verboten; nur ganz verstohlen und verdeckt dürfen die Maler die künstlerische Note in ihre Bilder einschmuggeln; das Publikum, selbst der Kenner übersieht es dann gnädig; besonders raffinierte Meister in diesem Schmuggel waren die Impressionisten, nicht zum wenigsten Cézanne. Und die ganze Kunstwelt ging auf die Komödie ein. »Beobachten [Sie] die Naturwahrheit dieser Pfirsiche oder des Wintertags«; »wie wunderbar ist dieser Akt, diese Bewegung, diese Hüfte!« Es gilt nämlich als besondere Meisterschaft, was eine ganz und gar nebensächliche Sache ist, unkünstlerische Köpfe zu interessieren, ohne ganz unkünstlerisch zu werden, – ein selbstgewähltes Martyrium.

Am freiesten arbeiten glaub ich die zwar äußerst seltenen Dichter; wenigstens haben die Schriftsteller es beim Publikum durchgesetzt, daß bei ihnen der Mond in das Zimmer spazieren darf; man darf sogar eine Sonne im Herzen tragen, Sterne herunterholen und so weiter. Aber lassen Sie einmal einen Maler den Mond in einer Stube aufhängen oder auf den Tisch legen und so weiter. Manches ist auf Verordnungswegen erlaubt worden, z.B. einem Pferde Flügel ansetzen; aber man muß das Patent »Pegasus« darunter schreiben.

(10)

⟨Aufzeichnung in Skizzenbuch XXVIII⟩

– ein rosafarbner Regen viel ⟨sic!⟩ auf grüne Wiesen.

– die Luft war wie grünes Glas.

– das Mädchen [sah auf's] blickte in's Wasser; das Wasser war klar [rein] wie Kristall; da weinte das Mädchen.

– die Bäume zeigten ihre Ringe; die Tiere ihre Adern.

116

(11)

⟨Aufzeichnung in Skizzenbuch XXXI⟩

Das Gewitter schrie
Ich trat in das Haus und sah alles
Eine [große] rote Frau; schwarze Kätzchen [spielten] auf dem grünen Tisch
– Gellaa, der Blitz verzehrte das Gefährt – die Kätzchen spielten mit der Frau,
die lächelte – ach ach [das arme] Mann und Pferd sind [ist] tot [Der Mann
weint] [Himmel] der Engel der Furcht schlägt an die Fenster; [die arme Frau]
ich sah das rote Herz der Frau zittern und schwarze Kätzchen auf dem grünen
Tisch – was ist das [?], rot und schwarz und grün? geben drei Farben einen
Gedanken? Wenn man dem Rot die [Gesta] Form des Herzens gibt, dem
Schwarz die Form [eines drei ineinander verschlungener] kleiner Kätzchen
dem Grün die Form [eines großen flachen Vierecks? . . .] des Vierecks
Ich will diesen Gedanken denken.
Das rote Herz der Frau zerbricht
aus ihm [kommt] strömt ein roter [Blut . . .] [Blutstreifen] Blutstrom [quer
durch den Himmel] in den Bach der fließt nun rot durch grüne Wiesen auf
denen weiden schwarze Schafe.
   Das Gewitter hat seine Hand von der Erde gezogen.
Der blaue [?] Himmel [s . . .] glotzt wie ein riesiges Glasauge auf die Scenerie
[von] Rot, Grün, Schwarz, ist dieser Gedanke nicht schrecklich? [. . .] Versteht Ihr, was die Maler malen?

(12)

διδου μοι που στω και την γην κινω

Zur Kritik der Vergangenheit

Um die Kräfte und Werte in der Welt zu vermitteln, bedienen wir uns seit alters her mit immer gesteigerter Geschicklichkeit eines unglaublich mangelhaften Systems, nämlich unsrer zwei- und dreidimensionalen Mathematik, die sich auf einem durch die sogenannten »*Zahlen*« maskierten Trugschluß aufbaut. Zweimal zwei ergibt in Wahrheit niemals vier.* Wenn wir von 4 Äpfeln zwei fortthun, bleiben nicht 2 Äpfel, sondern wieder 4, da wir keinen Ort haben, auf den wir die 2 Äpfel legen können, daß sie nicht mehr da sind. Dieser vielleicht sophistisch klingende Einwand zielt auf den Kern der Sache, – der imaginäre Begriff von »*Besitz*« und »*Größe*« baut sich auf demselben Trugschluß auf wie die Subtraktion und Addition und Dimension, alles Werte, Gesetze, die man in den Sand geschrieben hat und die der Weltenwind verweht. [Über die Geistesgeschichte der Menschheit kann man die Worte Goethes setzen: wo die Begriffe fehlen, da stellt ein Wort zur rechten Zeit sich ein.] Es gibt keine Naturgesetze, sondern nur Übereinkünfte der Menschen.

Wir sind uns wohl bewußt, welchen Dienst die wissenschaftlichen Übereinkünfte der Menschheit bisher geleistet haben; sie brachten die Befreiung aus den Kindheitsträumen des Menschengeschlechts; sie stellen die lange Schulzeit der Menschensöhne dar. Gerade in der Irrationalität der Wissenschaft liegt ihr erzieherischer Wert und ihre Würde. Aber was nun vor uns liegt, wird das mannbare Leben der Menschen sein.

Alles ist eins. Raum und Zeit, Farbe, Ton und Form sind nur Anschauungsweisen, die der sterblichen Struktur unsres Geistes entstammen.

Raum ist eine von uns gedachte Projektion des Seins.

Zeit ist eine Berechnung des Seins, in die wir den Begriff »Gegenwart« als imaginäre Größe einführen.

Der Tote kennt nicht Raum und Zeit und Farbe, oder nur soweit er in der Erinnerung der Lebenden noch »*lebt*«. Er selbst ist erlöst von allen Teil-

---

* Schon durch unsre Zinsrechnung suchen wir den Rechenfehler zu korrigieren; sie ist nichts als eine von Praktikern erdachte und mokante Korrektur unsres Zahlensystems, das eine ganz fiktive Konvention darstellt.

empfindungen. Mit dem Tode beginnt das eigentliche Sein, das wir Lebende [sehnsüchtig] unruhvoll umschwärmen wie der Falter das Licht.

Die Sehnsucht nach dem unteilbaren Sein, nach Befreiung von den Sinnestäuschungen unsres ephemeren Lebens ist die Grundstimmung aller Kunst. Ihr großes Ziel ist, [alle unsre Sinnesbegriffe] das ganze System unsrer Teilempfindungen aufzulösen, ein unirdisches Sein zu zeigen, das hinter allem wohnt, den Spiegel des Lebens zu zerbrechen, daß wir in das Sein schauen. Es gibt keine soziologische oder physiologische Deutung der Kunst. Ihr Wirken ist durchaus metaphysisch.

Hier scheint ein Widerspruch zu lauern. Aber daß künstlerische Werke Farben- und Raumgefühle wecken, daß die Musik die rhythmische Zeitenfolge des Geschehens zeigt, ist wiederum nur unsre Aperzeption, die sterblich ist, kunstfremd, Verfälschung des Immanenten der Kunst.

Aus diesen Gedanken leiten wir die Ideen unsrer Kunst ab.

Ein Schritt zur künstlerischen Einheit ist es schon, wenn wir uns nicht mehr ausschließlich auf unsre Augen verlassen, ihnen sogar sehr mißtrauen und an Stelle des Augensinns uns von Wärmeempfindungen, Gehöreindrücken etc. beim Malen leiten lassen. Die Zeit ... besaß keine anschaulicheren, festeren Formen. Das malerische Ornament, das von der Gotik bis zum Rokoko der Kunst zur äußerlichen Folie gedient hat, war tot; und neue gab es keine.

Heute dröhnt die Welt unter der Schöpfung neuer Formen; alles zittert unter der Arbeit der wunderbaren Maschinen [und Fabriken]. Es gibt neue Bewegungen, neue Rhythmen, neue Formen, die Welt hat sich bis zum kleinsten Gegenstand verändert; und all dies vollzog sich in atemloser Schnelligkeit.

Nun treten, wie zu allen Zeiten, Maler auf den Plan, die es als Selbstverständlichkeit ansehen, sich dieser neuen Formen malerisch bedienen zu dürfen; ja sie denken gar nicht so weit. Ihr Auge begeistert und schult sich am Weltbild; es sieht an Stelle des alten Ornamentes den Winkel und seine Hand malt so. Er braucht nicht Maschinen zu malen, – er kann und wird innerlich sogar etwas ganz anderes wollen; aber sein Werk trägt äußerlich den Stempel der Maschinendynamik und Chemie.

Wie ist es nur möglich, daß dieselben Menschen, die sich nicht über Dürers Arabesken oder die gothischen Gewandfalten zu wundern scheinen, wütend werden über die Dreiecke, Scheiben- und Röhrenformen unsrer Bilder? Müssen diese nicht voll sein von Drähten und Spannungen, von den wunderbaren Wirkungen des modernen Lichtes, von dem Geist der chemischen Analyse, die die Kräfte zerlegt und eigenmächtig verbindet? Das alles ist die äußere sinnliche Form unsrer Bilder.

Es ist ungemein nötig, daß dies einmal ausgesprochen wird. Aus vielen Gründen. Man muß die Stillen im Lande von dem Glauben befreien, als könnten die Kritiker oder z. B. der Herr Bode einen gegründeten Anlaß haben, den äußerlichen Stil unsrer Bilder mit allen möglichen Schimpf- und Spottnamen zu belegen. Vielleicht dämmert es doch dem oder jenem, daß unsre Bilder gar nicht so unverständlich, »unentzifferbar« sind. In Paris fällt man förmlich über Picasso-Motive. Das Warenhaus und die moderne Beleuchtungsscenerie drängen uns das simultané von Delaunay geradezu auf. Daß ein Chemiker und Analytiker nicht einmal für die äußere Erscheinungsform Kandinskyscher Bilder Verständnis hat, ist mir völlig schleierhaft. Wahrscheinlich steckt in Kandinsky ein größerer Analytiker als in allen diesen Herren. Und nun gar die Futuristen! Unser modernes Leben und Denken ist so durch und durch futuristisch vom Telefon bis zu den X-Strahlen – Nun haben sie mich; so viele, die das lesen, freuen sich diebisch; nun haben wir ihn: platt, platt; das ganze Geistige, das Abstrakte ist erlogen; Nein, meine Herren, es ist nicht erlogen; ich zeigte Ihnen bescheiden das Äußerliche, Zeitliche, Vergängliche an unsrer Kunst, – nur das. [Das andre wollen wir der Zeit überlassen, die uns und unsre Ideen ruft.] Ich zeigte Ihnen unser instinktives aber offensichtliches Bemühen, uns mit dem Weltbild von heute malerisch auseinanderzusetzen, um unsre künstlerische Offenheit zu zeigen; um zu zeigen, daß wir genau so um das Weltbild unsrer Zeit ringen wie die Impressionisten um das ihre.

Und das *Geistige*, das wir so feierlich prophezeiten? Ich will versuchen, wenigstens mit einem Gleichnis das Verhältnis des Geistigen zur äußern Form unsrer Werke anzudeuten.

Alle okkultischen Phänomene haben in der Form, in der sie sich uns heute zeigen, ein äußerliches Analogon, das man die materialistische Form immaterieller Ideen nennen könnte. Das mediumistische Durchdringen einer Materie können wir durch die X-Strahlen gewissermaßen experimentell ausführen, das Schweben, d. h. das Aufheben des spezifischen Gewichtes, durch magnetische Experimente belegen. Ist nicht unser Telegraphenapparat eine Mechanisierung der berühmten Klopftöne? Oder die drahtlose Telegraphie ein Exempel der Telepatie ⟨sic!⟩? Die Grammophonplatte scheint experimentell zu beweisen, daß die Verstorbenen noch zu uns reden können.

Das Okkulte, gewinnt heute, infolge dieser experimentellen Analogien, eine ganz neue Bedeutung, die man früher, in Religionszeiten, nicht kannte. Wer sollte so blind sein, diese merkwürdigen Zusammenhänge der geistigen Ideen mit dem physikalischen Experiment, des Innerlichen mit dem Äußerlichen zu leugnen?

Einem solchen Zusammenhange nicht unähnlich sind die Beziehungen ⟨zwischen⟩ der äußeren Gestalt unsrer malerischen Werke und den innerlichen Ideen – *materielle Formen* können für die Sehenden *abstrakte* Bedeutung erlangen. Eine solche Bedeutung besteht nie »*an sich*«, sondern immer nur für den Sehenden, sowie das tiefste Gebet nur Worte sind, äußere Form; erst für den Betenden erhält es göttlichen Sinn.

Ich fühlte mich nicht berufen, diese Zeilen zu schreiben; aber die Verwunderung, daß niemand von der Zunft der Schreibenden und Denkenden diesen einfachen Sachverhalt vortrug, bewog mich schließlich doch dazu, in der Hoffnung, damit die Anregung zum Weiterarbeiten an diesen und ähnlich einfachen Gedanken zu geben. Vielleicht hängt doch der eine oder andere seine langweiligen ästhetischen Einwände an den Nagel.

(13)

»Das abstrakte Theater.«

I

Jede Zeit hat [die Kunst, die es verdient] ihr Theater, jede das Ihre, jede ein anderes. Dem künstlerischen Tiefstand unserer Zeit entspricht der Tiefstand ihres Theaters. Aber nachdem heute einige junge Quellen wirklicher Kunst aufgebrochen sind, geht endlich auch über die Bühne die Unruhe der Neuerer. [Die Befreiung von den spielerischen und historischen] Das Theater, das wir in einigen Jahrzehnten haben werden, ist uns allen [noch] ein Geheimnis, da die entscheidenden Werke noch nicht geschaffen sind. Aber das soll kein Grund sein, uns heute in unseren Theatern so zu langweilen, wie wir es thatsächlich thun. [Können wir – so gut wie wir Bilder malen, die niemand liebt, nur das geheime Deutschland liebt, so wollen wir auch auf der Bühne Dingen zeigen, die nicht für aller Augen sind, unsere Arbeit thun, die der Menge schwer, zur Unlust der Gleichgültigen, zur Freude der Wenigen, der Ernsten. Wir fühlen alle Einwendungen voraus, die] [War es mit der Malerei nicht auch genau so? Aber seit einigen Jahren entstehen Werke, die die Gewohnheit der Langeweile Lügen strafen; es gibt wieder ein »geheimes Deutschland«, das erwacht ist, dessen Augen sehen und dessen Ohren hören. Das erwacht ist, in dem jeder mit einem stummen Nicken den anderen versteht. Es sind nur Wenige, aber diese Wenigen können sagen: »es ist wieder eine Lust zu leben«!] [Ein jeder langweilt sich dort, denn sich langweilen heißt gezwungen zu werden, seine Aufmerksamkeit auf Äußerlichkeiten, auf alles, was unsren Geist nichts angeht, zu richten.] Man will uns nötigen, unsre Aufmerksamkeit auf Äußerlichkeiten, also auf Dinge, die unsren Geist nichts angehen, zu richten; das Leben selbst langweilt uns beständig durch seine Tendenz, uns durch Äußerlichkeiten vom wahren Denken abzulenken. [Hierin liegt der tragische Zwiespalt von Leben und Sein.] Pseudokunst und Bühne von heute langweilen aus dem gleichen Grunde.

Nicht aus Eitelkeit oder Übermut strecken wir Maler einer neuen Kunst unsere Hand auch nach dem Theater aus. Die Arbeit der Erneuerung, die uns ganz erfüllt, kann vor der Bühne nicht Halt machen.

Wir wissen, daß unser Beginnen hier wie in der Malerei für die Allgemeinheit verfrüht ist, daß die Stunde des modernen Theaters noch nicht erfüllt ist. Aber wer gleich uns im Frühlicht des Morgen lebt, kann nicht im Gestern und Heute ausruhen. [Man darf unserm Urteil schon vertrauen, daß wir die Einwendungen selbst voraus kennen, mit denen man unsre Arbeit widerlegt.] Wir kennen nur einen Einwand, der uns bedroht: Ohne Dichtung kann man keine Bühne schaffen. Gut! so wollen wir unsere eigenen Dichter sein [Vielleicht werden wir auch noch die Euren, bis die besseren Dichter kommen, die uns lächelnd ins Publikum, in ihr Publikum verweisen werden.], bis die Stunde kommt, in der wir ins Publikum zurücktreten dürfen, um die wahren Dichter zu hören, nach denen wir uns heute sehnen.

II

[Die Welt dreht sich so langsam, daß wir ihre Bewegung, ihren Gang nicht wahrnehmen, verzweifelt sehen wir alles immer am alten Platz.] Man darf uns nicht mißverstehen; wir wollen keine Bühnenreform; wir geben keine [höflichen] Winke, wie man es auf der Bühne noch besser machen könnte, als man es heute schon macht. Man könnte unsren Willen nicht gröblicher mißverstehen. Unsre Bilder und unsre Ideen sind eine neue Daseinsform, ein Gedanke, an dessen Dauer die gegenwärtigen Formen zu Grunde gehen werden.

Die heutige Daseinsform – die gleichzeitig immer auch ihre eigene gute oder schlechte Kunstform zeitigt – kann man mit dem Begriff »Fortschritt« bezeichnen. Zweifellos wird heute entsetzlich viel gearbeitet; alles für den Gott des Fortschritts, der in das Unermeßliche schwillt, da er keine Form hat, sondern wesenlos vor der Arbeit herfließt wie eine Fata Morgana. Der Fortschritt besitzt heute alle Eigenschaften eines Religionssystems, in dem es Profeten Priester und die ungeheure gläubige Laienwelt gibt. Das traurige Kapitel der trügerischen Lockmittel, deren keine Religion noch entraten konnte, hat in dem modernen Werbesystem eine besonders raffinierte Form angenommen. Es sind die modernen »Errungenschaften«, deren geheime Kriegslist ist, die innerlichen, ererbten und organischen ⟨?⟩ Fähigkeiten der Menschen durch äußerliche, lernbare, mechanische Fähigkeiten zu ersetzen. Wie eine solche Religion der Selbstverstümmelung die Menschen hat ergreifen können, wissen wir nicht. Bewundernswürdig ist die Geschicklichkeit der Priester dieser Religion, den Menschen diese Verstümmelung ihrer organischen Kräfte zu verbergen durch das Scheinmanöver des sogenannten »Fortschritts«, an dem jeder, auch »der Geringste«, mitarbeiten darf; die Menschen gehen auch auf den plumpsten Köder; man baut den Menschen Eisenbahnen [(– sie dürfen sie sich selber bauen!)], um ihnen das Gehen und Lastentragen zu ersparen. In Wirklichkeit aber, um sie körperlich abhängig [und schlecht] zu machen. Man erfindet für die Menschen das Telefon, die Schnellpresse und dergleichen, um das selbständige Denken zu verschlechtern. Man baut Maschinen, damit die Menschen ihre wunderbaren kunsthandwerklichen Fähigkeiten verlernen sollen und plump und dumm genug für die Religion des Fortschritts werden. Auch diese Religion wird wie alle anderen bis zum bittern Ende einer systematischen Selbstverstümmelung durchschritten, durchkeucht werden müssen, auch auf die Gefahr und Gewähr, uns bei kommenden, starken Völkern mit unseren »Errungenschaften« unsterblich lächerlich zu machen. Es ist zum mindesten zweifelhaft, ob es genügt, sie bis zum Ende nur in Gedanken durchzudenken. [Wir werden wohl diese Religion der systematischen Selbstverstümmelung bis zum Schluß kosten müssen. Diese Errungenschaften sind aber in der Hand der Menschen auch ein sehr gefährliches, blutiges Spielzeug, vielleicht endet alles vorzeitig im Blute, das uns leicht dazu bringen könnte, uns gegenseitig und »vor der Zeit« damit abzuwürgen; draußen werden die gesunden Heiden stehen und dem grausigen Spiel zusehen. Der Eifer, mit dem man heute für seine neue Religion tätig ist] [Aber die Priester rechnen ruhig mit dem blinden Eifer der Menge. Alle Religionen waren blutig; die unsre wird vielleicht die blutigste sein.]

Wie jede Religion hat auch diese ihre Schönheit. Die Naturwissenschaften sind in ihrer Organisation und Planmäßigkeit sogar allen früheren Teogonien ⟨sic!⟩ und Kirchenorganisationen weit überlegen, ihr Siegeslauf ist von einer unerhörten Schnelligkeit; mit einer erschreckbaren Sturzgewalt zerstörte sie tausendjährige Gedanken, alles aufsaugend und negierend.

Die Naturwissenschaften, das moderne System, sind rein negierende Kräfte. [Die positiven Wissenschaften sind ja nichts als eine Revision] Sie stellen eine gründliche Revision alles Geschehenen dar und sind wie die historische Akribie eine kritische Disziplin. Selbst die technischen Triumphe dieses merkwürdigen Zeitalters sind keine positiven Werte; sie negieren die Vergangenheit; sie sind unvergleichlich in ihrem großen Eifer, aufzuräumen, »aufzuklären« und zu ordnen; die wahren Gelehrten vom Schlage Jules Fabre und die großen chemischen Analytiker wissen das, eine Thatsache, die die Menge nicht erfahren darf um des »Glaubens« und der »Propaganda« willen. Der Menge muß immer ein Heil gepredigt werden.

Das große Reinigungswerk der Wissenschaften ist auch noch nicht zu Ende gethan; aber ehe die kritische Besinnung der Menschheit vollendet sein wird, ehe wir vor dem Nichts, vor der letzten Negation stehen, müssen und werden neue Lebensformen entstanden sein, – solche neuen Formen sind unser Weniger hohes, sehr fernes Ziel.

Heute gibt es überhaupt keine Lebensformen; was wir heute davon schon scheinbar haben, ist wirklich Schein, Reform, erborgt, ererbt; wir leben gar nicht wirklich, da wir keine echten Formen des Lebens haben.

III

Im kunstpolitischen Tageskampf

(14–22)

(14)

Zur Ausstellung der ›Neuen Künstlervereinigung‹ bei Thannhauser

Gegenüber der allgemeinen Ablehnung, die die »neue Künstlervereinigung« in München erfährt, ist es vielleicht angebracht, auch eine andere Stimme und Meinung laut werden zu lassen. –

An etwas stößt sich hier das Publikum augenscheinlich: es sucht Staffeleikunst und wird nervös und zweiflerisch, wenn es kaum ein reines Staffeleibild von gewohntem Stil in dieser Ausstellung findet. Bei allen Bildern ist noch ein Plus im Spiel, das ihm die reine Freude nimmt, aber jedesmal den Hauptwert des Werkes ausmacht. [Die Bilder sind als Exempel gemalt für weite Ideen über Raumaufteilung und dekorative Farbenwerte, die sich einst das kommende Kunstgewerbe nutzbar machen wird. Die meisten dieser Bilder *müssen* mißverstanden werden, wenn man diese Voraussetzung außer Acht läßt. Aber kann sie nicht als Mahnung dienen, diese Künstler mit dem Ernst anzusehen, den sie verdienen? –]

Die völlig vergeistigte und entmaterialisirte Innerlichkeit der Empfindung, der im »Bilde« beizukommen unsre Väter, die Künstler des 19. Jahrhunderts nie auch nur versuchten. Dies kühne Unterfangen, die »Materie«, an der sich der Impressionismus festgebissen hat, zu vergeistigen, ist eine notwendige *Reaktion*, die in Pont-Aven unter Gauguin begann und bereits unzählige Versuche aufweist. Was bei diesem neuen, das die »neue Künstlervereinigung« macht, uns so aussichtsreich erscheint, ist, daß ihre Bilder neben ihrem auf's Höchste vergeistigten Sinn höchst wertvolle Exempel für Raumaufteilung, Rhythmus und Farbentheorie enthalten.

Ein Nebengedanke drängt sich hier auf: wird nicht vielleicht das kommende Kunstgewerbe einen glücklichen Anschluß an diese Werke, die voll Rhythmus und ornamentaler Farbe sind, finden können? Einen Anschluß, den es seit dem Biedermeier entbehrt und den wir alle sehnlichst verlangen. Dieser doppelte Sinn, der *geistige* und der *ornamentale*, sollte uns doch zur Besinnung bringen, diese echten Künstler mit dem Ernst anzusehen, den sie verdienen.

Es ist schade, daß man *Kandinskys* große Komposition und manches andere nicht neben die muhamedanischen Teppiche im Ausstellungspark hängen kann. Ein Vergleich wäre unvermeidlich und wie lehrreich für uns Alle! Worin besteht unsere staunende Bewunderung vor dieser orientalischen Kunst? Zeigt sie uns nicht spottend die einseitige Begrenztheit unserer europäischen Begriffe von Malerei? Ihre tausendfach tiefere Farben- und Kompositionskunst macht unsere konventionellen Theorien zu Schanden. Wir haben in Deutschland kaum ein dekoratives Werk, geschweige einen Teppich, den wir daneben hängen dürfen. Versuchen wir es mit Kandinskys Kompositionen – sie werden diese gefährliche Probe aushalten, und nicht als Teppiche, sondern als »*Bilder*«. Welche künstlerische Einsicht birgt dieser seltene Maler! Die große Konsequenz seiner Farben hält seiner zeichnerischen [Willkür] Freiheit die Wage ⟨sic!⟩, – ist dies nicht zugleich eine Definition der Malerei? –

In der großen Marées-Ausstellung empfanden wir dankbar die Erlösung vom Kleinkram unserer Staffeleimalerei; *Bechtejeff* wandelt in seinen und Feuerbachs Bahnen. Glaubt man denn wirklich im Ernst, daß Bechtejeff ein ungeschickter Aktzeichner ist? Er erkannte, was Marées Ringen tragisch hemmte und die großen Ideen Feuerbachs verdarb: Beide gingen an die Darstellung des Menschen mit den gänzlich ausgeschöpften Mitteln der italienischen Renaissance und wagten nicht die letzte Konsequenz, ihn als Linienornament in ihre ornamentalen Kompositionen einzuführen; hier liegt einer der Wege für die moderne Wandkunst. Mit welch bewußter Sicherheit wählt ihn Bechtejeff. Seine Amazonenschlacht vorigen Jahres ist [mir] wie eine heitere Erfüllung von Feuerbachs und Trübners Versuchen an demselben Thema. –

Mancher tote Meister würde vor *Erbslöhs* mächtigem Frauenakt erschauern und einen fernen Stil ahnen, den er vergeblich gesucht. Die Erfüllung steht noch weit vor uns; aber diese Künstler reißen den Boden mutig auf für eine gute Saat. –

Warum lacht man vor *Girieuds* köstlichen Jahreszeiten? Ich glaube, man belächelt sich dabei selber traurig. Ist die Phantasie heute so verbiedermeiert und verstopft, daß sie hier versagt? Man sammelt wütend alte Japandrucke und persische Liebesbücher – warum [stutzt] schreckt man vor Girieuds aristophanischer Laune zurück? –

Man ist vor allem enttäuscht, auch unter den *Stilleben* [keine] nicht die gewohnten Staffeleibilder zu finden. Sie wollen es auch kaum sein. Ihre konsequent durchgeführte *Aufteilung der Fläche* [zielt, vielleicht unbeabsichtigt, auf etwas ganz anderes, auf das Kunstgewerbe. Das dekorative Kunstgewerbe wird einmal die Ernte dieser Arbeit einbringen.], die geheimnisvollen Linien des einen, der Farbenklang des andern sucht geistige Stimmungen auszulösen, die mit der Materie des Dargestellten wenig zu thun haben aber einer neuen, sehr vergeistigten Ästhetik den Boden bereiten. Auch hieraus könnte das Kunstgewerbe, wenn es einst will, – und es *wird* wollen, die wertvollsten Anregungen holen. Vielleicht versteht man in diesem Gedankengang besser, warum *Le Fauconnier* an den Anfang seiner Kunst Zahlen und Maße setzt. –

Hodler und Klimt, den großen Neuerern unserer Kunst, stehen diese Künstler verhältnismäßig fern. Es erhöht in unseren Augen ihr Verdienst, daß sie abseits von diesen Meistern einen eigenen Weg suchen. Daß sie dabei ihrerseits nicht traditionslos sind, schmälert dieses Verdienst nicht. Marées, Cézanne, Gauguin, die russische Gotik und der Orient, der heute eine der Säulen europäischer Kunsttradition geworden ist, sind ihre Manen, – ein schwer zu verwaltendes Erbe. Wir sollten mittun und helfen und nicht durch blödes Gelächter entmutigen.

Die Art, wie das Münchner Publikum die Aussteller abtut, hat fast etwas Erheiterndes. Man benimmt sich, wie wenn es vereinzelte Auswüchse kranker Gehirne seien, während es schlichte und herbe Anfänge auf einem noch unbebauten Lande sind. Weiß man nicht, daß an allen Enden Europas heute der gleiche, neuschaffende Geist tätig ist, trotzig und bewußt? Man denke sich die kleine Ausstellung ergänzt durch ein paar deutsche wie Barlach, Metzner, Thornprikker, Brühlmann, Weiss, Hofer, der selbst Mitglied ist, und Ausländer wie Matisse, Minne, Manguin, Puy u. a. – Wer Augen hat, muß hier den machtvollen Zug der neuen Kunst [und vor allem des kommenden Kunstgewerbes] sehen. –

(15)

[Deutsche und französische Kunst]

Wenn ein guter Teil der deutschen Künstler heute die Fahne des Deutschtums und der Heimatkunst aufrollt und bedeutungsvoll vor seinen Thoren schwingt, so beabsichtigt er zweierlei:

Einmal sucht er den Geist des Galliertums, den sich die jüngsten deutschen Künstler zu Gast geladen haben, von dem Besuch in seinem Hause und bei seinen Freunden fernzuhalten. Der fremde Gast ist [ihnen] diesen Künstlern unheimlich. Sie scheuen sich nicht, ihn einen Seelenräuber, Giftmischer und Falschmünzer zu nennen und wollen nicht, daß ihr jüngerer, enthusiastischer Bruder mit diesem Fremden Umgang pflegt.

Der andere von ihnen freimütig bekannte Zweck ist, das seit kurzem vor ihren Bildern etwas kaufscheu gewordene Publikum mit ihrem Gackern wieder herbeizulocken. Auch sie wollen Eier gelegt haben, schöne, große, deutsche Eier, keine Kuckuckseier, wie dieser verdammte Franzose.

Zu einer Antwort aufgerufen, müssen wir erklären, was es für eine Bewandtnis mit unsrer Freundschaft für den französischen Gast hat. Die Kernfrage ist:

Was veranlaßt uns jungen Künstler, heute ausländische Werte in Deutschland einzuführen?

Kann es etwas anderes sein als die Überzeugung, daß es wirkliche Werte sind, und zwar größere Werte als *momentan* auf rein deutschem Boden zu gewinnen sind?

Es ist unglaublich kurzsichtig, uns vorzuwerfen, wir folgten damit einem unpatriotischen Instinkte, der kindisch nach Ausländischem greift; als ob der Künstler Herr wäre über jenen rätselhaften Trieb, der seinen Ideen die Richtung und seiner Kunst den Stil gibt.

Ein starker Wind weht heute die Keime einer neuen Kunst über ganz Europa und wo gutes, unverbrauchtes Erdreich ist, geht die Saat auf nach natürlichem Gesetz. Der Ärger einiger Künstler der deutschen Scholle, daß gerade Westwind geht, wirkt wirklich komisch. Sie bevorzugen Windesstille. Den Ostwind mögen sie nämlich auch nicht, denn von Rußland her weht es denselben neuen Samen. Was ist da zu machen? Nichts. Der Wind fähret, wohin er will. Der Same stammt aus dem Reichtum der Natur; und selbst wenn Ihr ein paar Pflänzchen mit Füßen tretet oder ausreißt, so macht das der Natur gar nichts aus. Es ist nur etwas unkollegial und verrät auch eine traurige Anschauung über Kunst.

Es gibt nur Einen Weg der Verständigung: den ehrlichen Vergleich. Man denke sich in irgend einer Münchner Ausstellung zwischen die deutschen Bilder entsprechend französische eingeschoben: Cézanne, Renoir, Manet, van Gogh, Gauguin, Signac, Matisse, Picasso, Girieud, Le Fauconnier, Friesz u.a. Die Wirkung wird deprimirend sein. Die Franzosen sind so ungleich künstlerischer und innerlicher, daß die deutschen Bilder sofort leer und von äußerlicher Mache erscheinen. Glaubt man das nicht? Will die »Scholle« oder die »Münchner Sezession« den Versuch wagen? Die vorsichtige Auswahl von französischen Gästen, die heuer Herr Spiro für die Sezession getroffen, wirkt auf Eingeweihte [fast] erheiternd. Sie setzt, wie es scheint, mit Absicht das heutige Niveau der französischen Kunst herab. Die wundervolle Cézanne-Kollektion, die vor einigen Jahren die Herren am Königsplatze beunruhigte, wurde zur besseren Hälfte einfach im Sekretariat (!) aufgehängt; der gnädig gezeigte Rest genügte freilich vollkommen, um die ganzen Malbestrebungen der Sezession ad absurdum zu führen; aber man sah nichts und that, wie wenn nichts geschehen wäre.

Daß es nicht der dekorative Gehalt der französischen Bilder ist, der die deutschen schlägt, sondern lediglich der innerliche, künstlerische, können wir uns Deutsche zu unsrer Beschämung daran demonstriren, daß wir an Stelle der gedachten modernen [Scholle] Deutschen beispielsweise einmal Kobell, Runge, Bürckel, Wagenbauer, Kaspar D. Friedrich, Blechen, Rethel, Joh. Adam Klein [oder gar] und Schwind zwischen [unsre] die Franzosen hängen – unsre Deutschen werden leise altmodisch klingen, aber die Innerlichkeit dieser Meister wird mit erstaunlicher Gewalt neben den modernsten Franzosen bestehen. Echte Kunst bleibt immer gut.

Aber man muß ein Auge dafür haben und eine dem Innerlichen zugewandte Seele, die sich allem Künstlerischen ebenso weit öffnet als sie vor jeder äußerlichen Mache zurückbebt.

Will jemand eine solche auf tiefe Kunst gestimmte Seele auf einem Gang durch unsre deutschen Ausstellungen begleiten? Er wird sie sehen, wie sie schmerzlich suchend von Saal zu Saal irrt und von dannen eilt.

Wie ein Wachsfigurenkabinett durch raffinirt geschickte Mittel ein Leben vorzutäuschen sucht, das es nicht hat, so sucht heute die überwiegende Mehrzahl der deutschen Maler durch die Manier ihres malerischen Vortrags ein künstlerisches Erlebnis vorzutäuschen, das in den Bildern gar nicht steckt. Daß dabei die Meisten sich ehrlich und ahnungslos selbst täuschen und für ein »künstlerisches Erlebnis« ansehen, was lediglich »Manier« ist, steht uns ganz außer Zweifel. Aber gerade hierin liegt der Jammer dieser Pseudokunst.

Dem von Lehrern übernommenen oder persönlich ersonnenen Rezept des malerischen Vortrags wird heute in Deutschland eine ganz lächerliche Bedeutung beigelegt. Die Ware eines jeden Künstlers wird nicht einzeln auf ihren reinkünstlerischen Wert geprüft, sondern trägt je nach ihrem Aussehen (Technik, Farbenklang, Kompositionsweise) eine Reklamemarke, wie z.B. in der Stoffbranche: Glanzseide, home spun, Taffet, Moiré, nur mit dem Unterschiede, daß die Bezeichnungen der Stoffe zuweilen ihrem wirklichen Werte entsprechen können, in der Malerei jedoch von einem solchen Verhältnis nicht die Rede sein kann.

[Diesem Unfuge] Dieser Tatsache gegenüber bedeutet unsre, mit begreiflichem Unverständnis aufgenommene Bestrebung ein Zurückbesinnen auf den Urgrund künstlerischen Erlebens und Schaffens; wir fühlen uns hierin verwandt mit einigen französischen Kollegen und reichen ihnen lediglich darum unsre Hand. Ebenso ist unsre Liebe zu den Primitiven nicht eine Laune, sondern der tief sehnsüchtige Traum, das längst vergessene einfache Verhältnis vom Menschen zur Kunst wiederherzustellen. Welche schwere Aufgabe wir uns damit stellen, sind wir uns ebensowohl bewußt als der Wahrscheinlichkeit, dabei oft Fehlschritte und Umwege zu gehen wie Leute, die auf einen hohen Berg den ersten Pfad bahnen. Aber wir haben das große Ziel erkannt und wir oder unsre Nachkommen werden es einmal erreichen. Alles Übrige ist gleichgültig. Die liebe Kollegenschaft, die uns auf unserm dornenvollen [Wege] Pfade noch beschimpft und verhöhnt, könnte sich bei der heiligen Versicherung beruhigen, daß sie uns in materieller Beziehung, für die sie so heißes Interesse zeigt, nicht zu beneiden [haben] hat.

(16)

Ideen über Ausstellungswesen

Die Friedfertigen werden das Himmelreich nicht sehen. Unzufriedenheit ist ein wunderbares Ferment. Wir sind unzufrieden und erwarten den Dank aller, die das Bessere wollen.

Künstler sind nicht von den Ausstellungen abhängig, sondern die Ausstellungen ganz und gar von den Künstlern.

Mit diesem Fundamentalsatz sollten alle Ausstellungstatuten beginnen. Es gibt nur einen Regulator, den die Ausstellung selbst zu handhaben hat: die Platzfrage. Diese muß der Organisator gelöst haben, bevor er die Einladungen an die gutmütigen (oder auch gelegentlich nicht gutmütigen) Künstler versendet.

Daß die künstlerische Ausbalancierung von großen Ausstellungen auch so praktisch große Schwierigkeiten bietet, wissen wir alle. Aber es gibt nur dies Ziel: Ungebrochene Kraft neben Kraft zu setzen, reinen Klang neben Klang, Maß neben Maß. Künstlerische Ideen stehen dann nebeneinander wie Säulen, die den Bau der Kunst tragen.

Große Ausstellungen sind dazu da um große Kunstwirkungen zu erzeugen. (Massenausstellungen, wie die Sezessionen sie arrangieren, sind an sich ein Blödsinn und haben mit echter Kunstwirkung nichts zu tun. Von ihnen ist hier selbstverständlich nicht die Rede). Die Herren des Sonderbundes erstreben aber große Kunstwirkungen. Vorbedingungen für großes Gelingen sind – latent – auch unzweifelhaft vorhanden. Aber die Praxis versagt. Durch ungleiche Gewichtsverteilung werden alle Urteile und Maße verzerrt und die ganze lebendige Architektur, deren Grundprinzip *Maß* ist, gründlich verdorben.

Wir brauchen dafür nur auf den Fall der riesigen van Gogh-Ausstellung zu weisen. Der edle, kluge van Gogh würde der Ehrung wenig Dank wissen und nach den Lebenden fragen.

»Ja, die mußten zusammengepreßt, gevierteilt werden; Sie haben uns zu viel eingesandt, da Sie gestorben sind, darf man Sie nicht zurückstellen: Ehrung den Toten.«

Er hätte vielleicht geantwortet: »Nach Ihnen, meine Herren; meine Werke haben jetzt keine Eile mehr. Es gibt nur eine Frage von Bedeutung: was passiert heute? Welche Kräfte halten heute den Bau? Warum tat meine Zeit nicht diese Fragen und stellte mich und meine Kollegen aus, als wir noch lebten; Ihr wäret heute weiter!«

Man stellt uns aus; wir möchten sagen »leider«, denn man glaubt damit genug getan zu haben. Man ignoriert, daß in den großen Ausstellungen von heute das entscheidende Problem unserer künstlerischen Kultur liegt, liegen könnte. Man sieht hier, wie es scheint, überhaupt kein Problem. An dieses heranzugehen, gelingt nur, wenn man die Künstler selbst mitarbeiten läßt, jeden Kreis, jede organische Kraft für sich, unabhängig bis zum Letzten.

Wenn jemand eine Maschine erfindet, führt er sie der Welt auch selbst vor, wenigstens so lange, bis seine konstruktiven Ideen Gemeingut seiner Schüler geworden sind. Oder gibt es in aller Welt den Fall, daß man dem Erfinder die Maschine fortholt, zerlegt und auf irgend eine Weise, die dem Erfinder ganz fern liegt, popularisiert? Warum verfahren die Ausstellungen so mit uns Künstlern? Wir Maler schaffen nicht so sehr Bilder als *Ideen* und wir allein sind berufen, unsere Ideen vorzutragen, wie wir es für richtig halten; ein Postulat, das Dichtern und Komponisten die conditio sine qua non ihres Wirkens ist und um dessen Willen die ersten Maler sich heute immer mehr von allen offiziellen Ausstellungen zurückziehen; wo sie es nicht tun, sind sie sich ihrer Verantwortlichkeit vor ihrer eigenen Kunst nicht bewußt. Die Ausstellungsleitung hat nur die praktische Organisation des Ganzen zu schaffen. Dann passieren auch, um auf den aktuellsten Fall zu weisen, jene üblen Dinge nicht: die Ablehnung würdiger Unbekannter für welche wir Kollegen nur zu oft betteln gehen müssen, um an neun von zehn Türen abgewiesen zu werden.

Hoffentlich gelingt es dem Sonderbund noch einmal, solche Ausstellungen zu schaffen.

Der kleine Kreis süddeutscher Künstler, der hier seine im Sonderbund nicht ausgestellten Werke zeigt, hat wenig Freude an dem, was der Sonderbund von ihm ausgestellt hat. Es nagt an unserm künstlerischen Gewissen, wir geben dort nicht bewußte und abgewogene Kunstwirkung, die wir beabsichtigten; alles von uns dort ist Bruchteil. Zerrissene Kunstwirkung ist keine Kunstwirkung. Wie viel andere mögen ein ähnliches, schlechtes Gewissen vor den Ideen haben, die sie dort herausstellen wollten.

Ein andermal: *ganz oder gar nicht!*

Vielleicht gelingt es uns, durch diese kleine Ausstellung und unsre Worte das schwierige Problem der modernen Ausstellung zur Diskussion zu stellen, auf der Basis jenes Satzes:

Die Künstler sollen nicht von den Ausstellungen abhängig sein, sondern die Ausstellungen von den Künstlern.

(17)

Zur Sache

Seine Ideen nach allen Seiten zu verteidigen hat nicht viel mehr Sinn, als sich überallhin entschuldigen, daß man geboren ist. Ich schrieb in der vorigen Nummer ein paar sehr einfache Worte, um zu sagen, was wir vom heutigen Ausstellungswesen erhoffen. Die Folge ist natürlich Widerspruch.

Ideen verdrängen Raum; sie drängen in die vorhandenen Ideen hinein, stocken, werden verstellt, aber wirken heimlich, bis der Tag kommt, an dem sie herrschen.

Aber auf eine Sache lohnt es sich, nochmals den Finger zu legen: Ich schrieb: »Wir Maler schaffen nicht so sehr Bilder als Ideen« und schrieb diesen Satz mit gutem Bewußtsein. Warum nimmt man Anstoß an dieser Sache? Warum wird man beschworen, sie nicht zu sagen? Will man leugnen, daß unsre gegenwärtige Zeit unter diesem Zeichen der »neuen Ideen« steht? Wer unsre Zeit kennt und liebt, sieht hierin ihre Pracht und trunkene Schönheit. Nicht die einzelnen Bilder sind dem Gegenwartsmenschen Selbstzweck und Hauptsache, sondern die Ideen, der Ideenkomplex, den die einzelnen Werke bilden.

Es wird eine neue Welt gebaut. Das einzelne Bild wird einem späteren Beschauer einmal Hauptsache, Einzelprodukt sein; dann gehört es, etikettiert, in das »Museum des zwanzigsten Jahrhunderts«. Wir aber wollen unsern Zeitgenossen »Ideen« zeigen, den Gärstoff der neuen Zeit, um die wir ringen. Das allein ist uns Hauptsache und muß es uns sein. Wir sind in der Tat keine großen Kunsthandwerker, wie sie manche reifen Zeiten kannten, sondern Jäger auf neuen Spuren.

Wo heute handwerklich im alten Sinne Bilder⟨,⟩ »nur Bilder« gemalt werden, handelt es sich gar nicht mehr um Kunst. Diese Kunst gibt es heute nicht und kann es nicht geben. Wir haben heute keine Basis, auf der handwerkliches Kunstschaffen erblühen kann. Wir leben in der Zeit eines ungeheuren Umschwunges aller Dinge, aller Ideen. Es gibt heute Menschen, die wie die ersten Christen, Jahrtausende vor sich tanzen sehen. Ideen schwirren in der Luft wie Geschosse im Gefecht. Wir haben keine Zeit, die Knöpfe an unserer Uniform zu putzen.

Wer dies nicht fühlt, wer diese fruchtbare und heilige Zeit nicht liebt, gehört nicht zu ihr und ihrem Werden.

(18)

Erwiderung

Der Ulk, den Barmer Künstler sich mit Max Pechstein erlaubt haben, läßt sich auch von einer anderen Seite ansehen als nur von der lächerlichen und schadenfrohen. Durch eine geschickte Fälschung einen ehrlichen, offenen Künstler zu täuschen, ist nicht schwer. Werden schon Kunsthistoriker unausgesetzt mit Fälschungen düpiert, trotz alles historischen Rüstzeuges, das ihnen zu Gebote steht, – wie soll ein Maler auf den Gedanken einer Fälschung kommen, wenn ihm Kollegen mit ehrlichem Gesicht Arbeiten zeigen, deren ganzen Ideengehalt und äußere Form sie von kühnen italienischen Künstlern übernommen haben, um zu düpieren. Als Herr van Volberth aus Barmen Herrn Pechstein die bewußten Zeichnungen sandte, waren futuristische Bilder in Deutschland überhaupt noch nicht gezeigt worden, und Pechstein nahm an, die merkwürdigen Zeichnungen seien wirklich das ehrlichgewollte Erzeugnis der Barmer Künstler, die zudem von einer begeisterten Anhängerschaft am Futurismus wohlweislich nichts verlauten ließen. Daß ferner Pechstein nicht »Futuristenführer« ist, sollte bekannt sein. Seine Kunst steht dem Futurismus ganz fern. Zieht denn nun niemand den einzig möglichen und wichtigen Schluß, daß wenn jemand wie Pechstein diese gefälschten Zeichnungen interessant und anregend fand, dies ein überraschender Beleg für die Kraft futuristischer Gedanken ist, die auch durch Nachahmungen hindurch ihren Ideenwert behalten und anzuregen vermögen? Es ist ein großer Irrtum zu glauben, daß Kopien und Fälschungen immer ohne Kunst- und Anregungswert sein müssen, Anregungen aber geben die Jung-Italiener uns Deutschen unbedingt, pro et contra. Wir werden diesen italienischen Neuerern noch Dank wissen, daß sie mit malerischen Ideen hervorgetreten sind, die zu äußern Mut und Kraft gehört und die die Deutschen sicher in irgend einer Form ihrem Denken assimilieren werden. Das Gelächter, das man vor ihnen anstimmt, gleicht sehr dem bekannten Lachen des Bauern und ist billiger als Nachdenken.

Pechstein hat dieses Nachdenken bewiesen, indem er auch jene Zeichnungen nicht belächelte, sondern ihnen den Weg in die Öffentlichkeit zu ebnen suchte.

(19)

Die Futuristen

Was dem Hundezüchter die schwarzen Lefzen und andere Merkmale der reinen Rasse seiner Hunde sind, das ist für den modernen Bilderkenner der Begriff der »peinture«. Wer sich nicht näher auskennt, sieht in das Züchterbuch. Die »peinture« ist bei Bildern, was die »Blume« der guten Weine ist, Gefühlssache. Wer sich auch hier nicht auskennt, sieht auf die Etikette, die die Firma aufgeklebt hat. Und dann kommt die Blamage. Der Picassosammler läuft in die Futuristenausstellung und schreit: sehr schön, wunderschön, aber keine peinture, meine Herren. Da antwortet ihm ein Klügerer: ma pittura, signore. Damit hört die Unterhaltung auf. Man kann ihm dann ein japanisches Gedicht oder etwas, das mindestens so schön ist und nicht immer nur von Kranichen und Pflaumenblüten handelt, vorlesen:

»Wenn man ein Fenster öffnet, tritt der ganze Lärm der Straße, die Bewegungen und die Gegenständlichkeit der Dinge draußen plötzlich in das Zimmer.«

Oder:

»Die Macht der Straße, das Leben, der Ehrgeiz, die Angst, die man in der Straße beobachten kann, das erdrückende Gefühl, das der Lärm verursacht«.

Und solche Dinge zu malen gelang den Futuristen, vorzüglich sogar. Carrà, Boccioni und Severini werden ein Markstein der Geschichte der modernen Malerei sein. Wir werden Italien noch um seine Söhne beneiden und ihre Werke in unseren Galerien aufhängen.

(20)

Notiz

Herr Bruno Cassirer bringt in Nummer VIII von ›Kunst und Künstler‹ ohne vorherige Anfrage und Erlaubnis ein Aquarell von mir, mit dem er den traurigen Artikel von Herrn Scheffler schmückt. Ich habe sofort den Verlag Der Sturm gebeten, mit einer gerichtlichen Klage gegen Herrn Cassirer vorzugehen, da eine derartige unerlaubte Reproduktion ebenso widerrechtlich als schädigend ist.

Gleichzeitig geht gegen den Verlag der ›Aktion‹ wegen des gleichen Vergehens eine gerichtliche Klage.

(21)

⟨Vorwort zum Katalog des Ersten Deutschen Herbstsalons⟩

Wir leben heute nicht in einer Zeit, in der die Kunst Helferin des Lebens ist. Was heute an echter Kunst entsteht, scheint eher der Niederschlag aller Kräfte zu sein, die das Leben nicht aufzubrauchen, aufzusaugen vermag; sie ist die Gleichung, die abstrakt gesinnte Geister aus dem Leben ziehen, wunschlos, zwecklos und ohne Hader.

In anderen Zeiten ist die Kunst die Hefe, die den Teig der Welt durchsäuert, solche Zeiten sind heute fern. Bis sie erfüllt sind, muß sich der Künstler in gleicher Ferne vom offiziellen Leben halten.

Das ist der Grund unserer selbstgewählten Abschließung gegen die Anträge, die die Welt uns macht, wir wollen uns nicht mit ihr vermischen. Unter dieser ⟨sic!⟩ »Welt« rechnen wir auch die uns wesensfremden Künstler, mit denen gemeinsam zu arbeiten uns unmöglich scheint, nicht aus »kunstpolitischen« Gründen, von denen heute so viel geredet wird, sondern aus rein künstlerischen Gründen.

(22)

Kandinsky

Wie freue ich mich, über Kandinsky schreiben zu dürfen. Wenn ich ihn mir im Geiste vorstelle, sehe ich ihn immer in einer breiten Straße, in der sich fratzenhafte schreiende Gestalten drängen; mitten durch sie geht ruhig ein kluger Mensch: das ist er. Kubin müßte ihn so zeichnen.

Kandinskys Bilder dagegen sehe ich in meiner Vorstellung ganz abseits der Straße in die blaue Himmelswand getaucht; dort leben sie in Stille ihr Feierleben. Sie sind heute noch da und werden bald ins Dunkle der Zeitenstille entweichen und strahlend wiederkommen wie Kometen.

Wenn ich an diese Bilder denke und zugleich an das, was der Europäer ›Malerei‹ zu nennen sich gewöhnt hat, so habe ich ein Bild in meiner Vorstellung, wie der ›Geist‹ die Malerei heimsucht; ja und schwer heimsucht! Sie hatte sich so wohl ohne ihn gefühlt und ist nun höchst erschrocken und schlägt verzweifelt um sich, um den ›Geist‹ nicht eindringen zu lassen. Das müßte Paul Klee zeichnen. Nur er könnte das.

Und noch etwas empfinde ich, wenn ich an Kandinskys Bilder denke: eine unsagbare Dankbarkeit, daß es wieder einmal einen Mann gibt, der Berge versetzen kann. Und mit welch vornehmer Geste hat er dies getan. Es ist eine unaussprechliche Beruhigung, dies zu wissen.

Wie töricht sind alle Versuche, gegen Kandinskys Kunst anzugehen. Da gibt es eine besondere Art von Denkern, die heute noch ernsthaft erörtern, wieweit Kandinskys Kunst überhaupt möglich und vorstellbar ist; sie vergessen vollständig, daß diese Bilder ja längst gemalt sind, schon da sind. Jedermann kann sie sehen. Aber so ist es: alle, die ihr trockenes Herz nicht klopfen fühlen vor den großen Werken, schmähen nach gemeiner Leute Art eben diese Werke, statt an sich selbst einige einfache Fragen zu stellen. Sie holen eine verstaubte Logik aus dem Winkel ihrer Schulerinnerungen und prüfen mit ihr die Bilder. Sie messen die Flugkraft des Vogels mit dem Zollstab.

Lassen wir sie. Es ist schade um Zeit und Wort. Es gibt ganz Anderes, über das man nachdenken muß. Können Dinge, die einmal geschaffen sind, wieder vergehen? Können sie geleugnet oder auch nur von der Stelle gerückt werden? Wir Maler kennen jenen geheimnisvollen Moment in unsrer Arbeit, in dem das Werk zu atmen beginnt. Es fällt von uns ab und beginnt sein eigenes Leben. Waren wir auch zu Beginn Herr des Bildes, so werden wir in diesem Moment sein Sklave. Es sieht uns fremd, groß, mahnend, zwingend an. Das Früh oder

Spät dieses wunderbaren Augenblickes gibt ein feines Kriterium der Kunst ab. Wir Maler wissen dies. Manche, Allzuviele, bleiben bis zum Ende die Herren ihrer Bilder. Je gebieterischer der Maler in der Welt auftritt, desto armseliger, sklavischer sehen gewöhnlich seine Bilder aus. Darum werden diese Maler im Leben immer mehr gefeiert als ihre Bilder, an denen nichts zu feiern ist, da sie ja nur nach Vorschrift ihrer Herren entstanden sind, – ein trauriges Symptom aus dem Lebenslauf vieler, vieler unsrer berühmten Maler; sie schufen als Jünglinge mit ehrlicher Hingabe ihre ersten schönen Sachen und enden als große Herren mit ganz dummen Erzeugnissen.

Die echten Werke lösen sich nach dem ersten Anfang schon von dem Willen des Schöpfers ab. Es scheint mir, daß heute gar nicht viel solche Werke entstehen. Zu den seltenen Ausnahmen gehören die Werke Kandinskys; sie sind nicht aus sterblichem Willen geformt; ihr Eigenleben läuterte sein Wollen und hielt ihn bei der Arbeit in Bann; ihr Sein ist unsterblich. Ich sehe sie wieder, an die Himmelswand gestellt – warum sollen wir nicht glauben, daß ein Erzengel sie dort gemalt hat, Dinge aus seinem Reich, durch die Hand unseres Freundes Kandinsky?

IV

›Der Blaue Reiter‹

(23–29)

(23)

Die ›Wilden‹ Deutschlands

In unserer Epoche des großen Kampfes um die neue Kunst streiten wir als ›Wilde‹, nicht Organisierte gegen eine alte, organisierte Macht. Der Kampf scheint ungleich; aber in geistigen Dingen siegt nie die Zahl, sondern die Stärke der Ideen. Die gefürchteten Waffen der ›Wilden‹ sind ihre *neuen Gedanken;* sie töten besser als Stahl und brechen, was für unzerbrechlich galt.

Wer sind diese ›Wilden‹ in Deutschland?

Ein großer Teil ist wohlbekannt und vielbeschrien: Die Dresdener ›Brücke‹, die Berliner ›Neue Sezession‹ und die Münchener ›Neue Vereinigung‹.

Die älteste von den dreien ist die ›Brücke‹. Sie setzte sofort mit großem Ernst ein, aber Dresden erwies sich als ein zu spröder Boden für ihre Ideen. Die Zeit war wohl auch noch nicht gegeben für eine breitere Wirkung in Deutschland. Erst einige Jahre später brachten die Ausstellungen der beiden anderen Vereinigungen neues, gefährliches Leben in das Land.

Die ›Neue Sezession‹ rekrutierte sich anfänglich zum Teil aus Mitgliedern der ›Brücke‹; ihre eigentliche Entstehung aber war eine Ablösung unzufriedener Elemente aus der alten Sezession, die diesen zu langsam marschierte; sie übersprangen kühn die dunkle Mauer, hinter der die alten Sezessionisten sich verschanzt hatten und standen plötzlich, wie geblendet, vor der unermeßlichen Freiheit der Kunst. Sie kennen kein Programm und keinen Zwang; sie wollen nur vorwärts um jeden Preis, wie ein Strom, der alles mögliche und unmögliche mit sich führt, im Vertrauen auf seine reinigende Kraft.

Der Mangel an Distanz verbietet uns den Versuch, hier Edles von Schwachem zu scheiden. Die Kritik träfe auch nur Belangloses und steht entwaffnet und beschämt vor der trotzigen Freiheit dieser Bewegung, die wir ›Münchener‹ nur mit tausend Freuden begrüßen.

Die Entstehungsgeschichte der ›neuen Vereinigung‹ ist versteckter und komplizierter.

Die ersten und einzigen ernsthaften Vertreter der neuen Ideen waren in München zwei Russen, die seit vielen Jahren hier lebten und in aller Stille wirkten, bis sich ihnen einige Deutsche anschlossen. Mit der Gründung der Vereinigung begannen dann jene schönen, seltsamen Ausstellungen, die die Verzweiflung der Kritiker bildeten.

Charakteristisch für die Künstler der ›Vereinigung‹ war ihre starke Betonung des *Programms;* einer lernte vom andern; es war ein gemeinsamer Wetteifer, wer die Ideen am besten begriffen hatte. Man hörte wohl manchmal zu oft das Wort ›Synthese‹.

Befreiend wirkten dann die jungen Franzosen und Russen, die als Gäste bei ihnen ausstellten. Sie gaben zu denken und man begriff, daß es sich in der Kunst um die tiefsten Dinge handelt, daß die Erneuerung nicht formal sein darf, sondern eine Neugeburt des Denkens ist.

Die *Mystik* erwachte in den Seelen und mit ihr uralte Elemente der Kunst.

Es ist unmöglich, die letzten Werke dieser ›Wilden‹ aus einer formalen Entwicklung und Umdeutung des Impressionismus heraus erklären zu wollen (wie es z. B. Niemeyer in der Denkschrift des Düsseldorfer Sonderbundes versucht). Die schönsten prismatischen Farben und der berühmte Kubismus sind als Ziel diesen ›Wilden‹ bedeutungslos geworden.

Ihr Denken hat ein anderes Ziel: Durch ihre Arbeit ihrer Zeit *Symbole* zu schaffen, die auf die Altäre der kommenden geistigen Religion gehören und hinter denen der technische Erzeuger verschwindet.

Spott und Unverstand werden ihnen Rosen auf dem Wege sein.

Nicht alle offiziellen ›Wilden‹ in Deutschland und außerhalb träumen von dieser Kunst und von diesen hohen Zielen.

Um so schlimmer für sie. Sie mit ihren kubistischen und sonstigen Programmen werden nach schnellen Siegen an ihrer eigenen Äußerlichkeit zugrunde gehen.

Dagegen glauben wir – hoffen wir wenigstens glauben zu dürfen –, daß abseits all dieser im Vordergrunde stehenden Gruppen der ›Wilden‹ manche stille Kraft in Deutschland um dieselben fernen und hohen Ziele ringt, und Gedanken irgendwo im stillen reifen, von denen die Rufer im Streite nichts wissen.

Wir reichen ihnen, unbekannt, im Dunkeln unsere Hand.

144

(24)

Zwei Bilder

Die Weisheit muß sich rechtfertigen lassen von ihren Kindern.

Wenn wir so weise sein wollen, unsere Zeitgenossen zu belehren, müssen wir unsere Weisheit rechtfertigen durch unsere Werke und müssen sie zeigen wie eine selbstverständliche Sache.

Wir werden es uns hierbei so schwer wie möglich machen, indem wir die Feuerprobe nicht scheuen, unsere Werke, die in die Zukunft zeigen und noch unerwiesen sind, neben Werke alter, längst erwiesener Kulturen zu stellen. Wir tun es mit dem Gedanken, durch nichts unsere Ideen deutlicher zu illustrieren als durch solche Vergleiche; Echtes bleibt stets neben Echtem bestehen, so verschieden auch sein Ausdruck sein mag. Auch ist die Stunde zu solchen Betrachtungen günstig, da wir glauben, daß wir heute an der Wende zweier langer Epochen stehen; die Ahnung davon ist nicht neu; man hat den Ruf vor hundert Jahren schon lauter gehört. Damals wähnte man sich dem neuen Zeitalter schon sehr nahe, viel näher als wir es heute glauben. Ein ganzes Jahrhundert lag noch dazwischen, in welchem sich eine lange Entwicklung in rasendem Tempo abspielte. Die Menschheit durchjagte förmlich das letzte Stadium einer tausendjährigen Zeit, die ihren Anfang nahm nach dem Zusammenbruch der großen, antiken Welt. Damals legten die ›Primitiven‹ den ersten Grund für eine lange, neue Kunstentwicklung, und die ersten Märtyrer starben für das neue christliche Ideal.

Heute ist in Kunst und Religion diese lange Entwicklung durchlaufen. Aber noch liegt das weite Land voll Trümmer, voll alter Vorstellungen und Formen, die nicht weichen wollen, obwohl sie schon der Vergangenheit gehören. Die alten Ideen und Schöpfungen leben ein Scheinleben fort, und man steht ratlos vor der Herkulesarbeit, wie man sie vertreiben und freie Bahn schaffen soll für das Neue, das schon wartet.

Die Wissenschaft arbeitet negativ, au détriment de la religion – welches schlimme Eingeständnis für die Geistesarbeit unserer Zeit.

Wohl fühlt man, daß eine neue Religion im Lande umgeht, die noch keinen Rufer hat, von niemand erkannt.

Religionen sterben langsam.

Der Kunststil aber, der unveräußerliche Besitz der alten Zeit, brach in der Mitte des 19. Jahrhunderts katastrophal zusammen. Es gibt seitdem keinen Stil mehr; er geht, wie von einer Epidemie erfaßt, auf der ganzen Welt ein. Was es an ernster Kunst seitdem gegeben hat, sind Werke einzelner*; mit ›Stil‹ haben diese gar nichts zu tun, da sie in gar keinem Zusammenhang mit dem Stil und Bedürfnis der Masse stehen und eher ihrer Zeit zum Trotz entstanden sind. Es sind eigenwillige, feurige Zeichen einer neuen Zeit, die sich heute an allen Orten mehren. Dieses Buch soll ihr Brennpunkt werden, bis die Morgenröte kommt und mit ihrem natürlichen Lichte diesen Werken das gespenstige Ansehen nimmt, in dem sie der heutigen Welt noch erscheinen. Was heute gespenstig erscheint, wird morgen natürlich sein.

Wo sind solche Zeichen und Werke? Woran erkennen wir die echten?

Wie alles Echte: an seinem inneren Leben, das seine Wahrheit verbirgt. Denn alles, was an künstlerischen Dingen von wahrheitsliebenden Geistern geschaffen ist, ohne jede Rücksicht auf die konventionelle Außenseite des Werkes, bleibt für alle Zeiten echt.

Wir haben am Kopf dieses Artikels zwei kleine Beispiele hierfür gebracht: rechts eine volkstümliche Illustration aus Grimms Märchen aus dem Jahre 1832, links ein Bild von Kandinsky 1910. Das erste ist echt und ganz innerlich wie ein Volkslied und wurde von seiner Zeit mit der vollkommensten Selbstverständlichkeit und Liebe verstanden, da noch 1832 jeder Handwerksbursche und jeder Prinz dasselbe künstlerische Gefühl besaß, aus dem heraus das Bildchen geschaffen ist. Alles Echte, was damals geschaffen wurde, hatte dieses reine, ungetrübte Verhältnis zum Publikum.

Wir meinen nun aber, daß jeder, der das Innerliche und Künstlerische des alten Märchenbildes empfindet, vor Kandinskys Bild, das wir ihm als modernes Beispiel gegenüberstellen, fühlen wird, daß es von ganz gleich tiefer Innerlichkeit des künstlerischen Ausdruckes ist – selbst wenn er es nicht mit der Selbstverständlichkeit genießen kann, wie der Biedermeier sein Märchenbild; zu einem solchen Verhältnis bedürfte man der Vor- und Grundbedingung, daß heute noch das ›Land‹ Stil besäße.

Da dies nicht der Fall ist, *muß* eine Kluft zwischen echter Kunstproduktion und Publikum gähnen.

Es kann nicht anders sein, weil der künstlerisch Begabte nicht mehr wie früher aus dem künstlerischen Instinkte seines Volkes heraus, der verloren ist, schaffen kann.

---

* In Frankreich z.B. Cézanne und Gauguin bis Picasso, in Deutschland Marées und Hodler bis Kandinsky; womit keine Wertung der genannten Künstler ausgedrückt sein will, sondern lediglich die Entwicklung der malerischen Ausdrucksform in Frankreich und Deutschland angedeutet wird.

Könnte aber nicht gerade dieser Umstand zum ernsten Nachdenken über vorstehende Zeilen bringen? Vielleicht beginnt er doch vor dem neuen Bilde zu träumen, bis es seine Seele in eine neue Schwingung versetzt?

Die heutige Isolierung der seltenen echten Künstler ist für den Moment durchaus unabwendbar.

Der Satz ist klar, nur die Begründung seiner Ursachen fehlt.

Und darüber denken wir folgendes: Da nichts zufällig und ohne organischen Grund geschehen kann – auch nicht der Verlust des künstlerischen Stilgefühls im 19. Jahrhundert, so führt uns eben diese Tatsache zu dem Gedanken, daß wir heute an der Wende zweier langer Epochen stehen, ähnlich wie die Welt vor anderthalb Jahrtausenden, als es auch eine kunst- religionslose Übergangszeit gab, wo Großes, Altes starb und Neues, Ungeahntes an seine Stelle trat. Die Natur wird den Völkern nicht ohne große Absichten Religion und Kunst mutwillig gemordet haben. Und wir leben auch der Überzeugung, die ersten Zeichen der Zeit schon verkünden zu können.

Die Werke einer neuen Zeit sind unendlich schwer zu definieren – wer kann klar sehen, auf was sie abzielen und was kommen wird? Aber die Tatsache allein, daß sie *existieren* und heute an vielen, oftmals voneinander ganz unabhängigen Punkten entstehen und von innerlichster Wahrheit sind, läßt es uns zur Gewißheit werden, daß sie die ersten Anzeichen der kommenden neuen Epoche sind, Feuerzeichen von Wegsuchenden.

Die Stunde ist selten – ist es zu kühn, auf die kleinen, seltenen Zeichen der Zeit aufmerksam zu machen?

(25)

Geistige Güter

Es ist merkwürdig, wie geistige Güter von den Menschen so vollkommen anders gewertet werden als materielle.

Erobert z. B. jemand seinem Vaterlande eine neue Kolonie, so jubelt ihm das ganze Land entgegen. Man besinnt sich keinen Tag, die Kolonie in Besitz zu nehmen. Mit gleichem Jubel werden technische Errungenschaften begrüßt.

Kommt aber jemand auf den Gedanken, seinem Vaterlande ein neues rein-geistiges Gut zu schenken, so weist man dieses fast jederzeit mit Zorn und Auf-regung zurück, verdächtigt sein Geschenk und sucht es auf jede Weise aus der Welt zu schaffen; wäre es erlaubt, würde man den Geber noch heute für seine Gabe verbrennen.

Ist diese Tatsache nicht schauerlich?

Ein kleines, heute aktuelles Beispiel verleitet uns zu dieser Einleitung.

Meier-Graefe kam auf den Gedanken, seinen Landsleuten die wunderbare Ideenwelt eines ihnen ganz unbekannten, großen Meisters zu schenken – es handelt sich hier um Greco; die große Allgemeinheit, selbst der Künstler, blieb nicht nur gleichgültig, sondern griff ihn mit wahrer Wut und Entrüstung an. Er hat sich mit dieser einfachen und edlen Handlung in Deutschland fast un-möglich gemacht.

Es ist wahnsinnig schwer, seinen Zeitgenossen geistige Geschenke zu ma-chen.

Einem zweiten großen Geber in Deutschland ging es nicht besser – Tschudi. Der geniale Mann schenkte Berlin die größten Kulturschätze an Bildern – die Folge war, daß man ihn einfach aus der Stadt vertrieb. Man wollte seine Er-werbungen nicht haben. Tschudi ging nach München. Dasselbe Schauspiel: auch hier wollen sie seine Geschenke nicht. Man besah sich in der Alten Pina-kothek die Sammlung Nemes höchstens wie eine neue Modeauslage, und wird erleichtert aufatmen, wenn die gefährliche Sammlung weg ist, ohne daß man etwas davon behalten mußte. Die Erwerbung eines Rubens oder Raffael wäre eventuell schon etwas anderes; denn die könnte man unbedenklich als eine Stärkung des *materiellen* Nationalreichtums ansehen.

Diese melancholische Betrachtung gehört insoweit in die Spalten des ›Blauen Reiters‹, als sie ein Symptom eines großen Übels zeigt, an dem der

›Blaue Reiter‹ vielleicht sterben wird: die allgemeine Interesselosigkeit der Menschen für neue geistige Güter.

Wir sehen diese Gefahr vollkommen klar vor uns. Man wird mit Zorn und Schmähung unsere Geschenke von sich weisen: »Wozu neue Bilder und neue Ideen? Was kaufen wir uns dafür? Wir haben schon zuviel alte, die uns auch nicht freuen, die uns Erziehung und Mode aufgedrängt hat.«

Aber vielleicht behalten auch wir recht. Man wird nicht *wollen,* aber man wird *müssen.* Denn wir haben das Bewußtsein, daß unsere Ideenwelt kein Kartenhaus ist, mit dem wir spielen, sondern Elemente einer Bewegung in sich schließt, deren Schwingungen heute auf der ganzen Welt zu fühlen sind.

Wir weisen gern und mit Betonung auf den Fall Greco, weil die Glorifikation dieses großen Meisters im engsten Zusammenhang mit dem Aufblühen unserer neuen Kunstideen steht. Cézanne und Greco sind Geistesverwandte über die trennenden Jahrhunderte hinweg. Zu dem »Vater Cézanne« holten Meier-Graefe und Tschudi im Triumphe den alten Mystiker Greco; beider Werke stehen heute am Eingange einer neuen Epoche der Malerei. Beide fühlten im Weltbilde die *mystisch-innerliche Konstruktion,* die das große Problem der heutigen Generation ist.

Das Bild von Picasso, das wir nebenstehend bringen, gehört, wie die Mehrzahl unserer Illustrationen, in diese Ideenreihe.

Neue Ideen sind nur durch ihre Ungewohnheit schwerverständlich – wie oft müßte man diesen Satz aussprechen, bis einer von hundert die nächstliegenden Konsequenzen aus ihm zöge?

Wir werden aber nicht müde werden, es zu sagen und noch weniger müde, die neuen Ideen auszusprechen und die neuen Bilder zu zeigen, bis der Tag kommt, wo wir unseren Ideen auf der Landstraße begegnen.

Diese Zeilen waren schon geschrieben, als die schwere Nachricht von Tschudis Tode eintraf.

So wagen wir, dem edlen Andenken Tschudis dies erste Buch zu weihen, für das er wenige Tage vor seinem Tode noch seine immer tätige Hilfe versprach.

Wir hoffen mit brennender Seele, an der Riesenaufgabe, die ohne ihn verwaist liegt, sein Volk zu den Quellen der Kunst zu führen, mit unsern schwachen Kräften weiterzuarbeiten, bis wieder einmal ein Mann kommt, mit mystischen Kräften ausgestattet wie Tschudi, der das Werk krönt und die vorlauten, allzulauten Gegner des großen Toten zum Schweigen bringt: Die Leugner des freien Geistes und der Vorzugstat!

Niemand hat es schwerer erfahren als Tschudi, über seinen Tod hinaus, wie schwer es ist, seinem Volke geistige Geschenke zu machen, – aber noch schwerer dürfte es diesem werden, die Geister wieder los zu werden, die Tschudi heraufbeschworen.

Der Geist bricht Burgen.

(26)

⟨Text zum Subskriptionsprospekt des Almanachs⟩

Die Kunst geht heute Wege, von denen unsere Väter sich nichts träumen ließen; man steht vor den neuen Werken wie im Traum und hört die apokalyptischen Reiter in den Lüften; man fühlt eine künstlerische Spannung über ganz Europa, – überall winken neue Künstler sich zu: ein Blick, ein Händedruck genügt, um sich zu verstehen!

Wir wissen, daß die Grundideen von dem, was heute gefühlt und geschaffen wird, schon vor uns bestanden haben und weisen mit Betonung darauf hin, daß sie in ihrem *Wesen* nicht neu sind; aber die Tatsache, daß neue Formen heute an allen Enden Europas hervorsprießen wie eine schöne, ungeahnte Saat, das muß verkündet werden und auf all die Stellen muß hingewiesen werden, wo Neues entsteht.

Aus dem Bewußtsein dieses geheimen Zusammenhanges der neuen künstlerischen Produktion wuchs die Idee des ›BLAUEN REITERS‹. Er soll der Ruf werden, der die Künstler sammelt, die zur neuen Zeit gehören, und der die Ohren der Laien weckt. Die Bücher des ›BLAUEN REITERS‹ werden ausschließlich von Künstlern geschaffen und geleitet. Das hiermit angekündigte erste Buch, dem andere in zwangloser Reihe folgen sollen, umfaßt die neueste malerische Bewegung in Frankreich, Deutschland und Rußland und zeigt ihre feinen Verbindungsfäden mit der Gotik und den Primitiven, mit Afrika und dem großen Orient, mit der so ausdrucksstarken ursprünglichen Volkskunst und Kinderkunst, besonders mit der modernsten musikalischen Bewegung in Europa und den neuen Bühnenideen unserer Zeit.

(27)

⟨Vorwort zum Katalog der Ersten Ausstellung, 2. Auflage⟩

Die isolierte Stellung des echten Künstlers im Volke ist heute eine naturge-
schichtliche Notwendigkeit. Nichts kann zufällig und ohne organischen Grund
geschehen. Wie töricht ist die Trauer über den Verlust des künstlerischen Zeit-
gefühls im neunzehnten Jahrhundert! Muß uns diese vielbeschrieene Tatsache
nicht zu dem Gedanken leiten, daß wir heute an der Wende zweier langer Epochen stehen, ähnlich wie die Welt vor anderthalb Jahrtausenden, als es auch
eine kunst- und religionslose Übergangszeit gab, wo Großes und Altes starb
und Neues, Ungeahntes an seine Stelle trat? Die Natur wird den Völkern nicht
ohne große Absichten Religion und Kunst mutwillig gemordet haben. Wir
leben der Überzeugung, die ersten Zeichen der Zeit schon verkünden zu können.

Die ersten Werke einer neuen Zeit sind unendlich schwer zu definieren. Wer
kann klar sehen, auf was sie abzielen und was kommen wird? Die Tatsache
allein, daß sie existieren und heute an vielen von einander unabhängigen
Punkten entstehen und von innerlicher Wahrheit sind, läßt es uns zur Gewißheit werden, daß sie die ersten Zeichen der kommenden neuen Epoche sind,
Feuerzeichen von Wegsuchenden.

Die Stunde ist selten – ist es zu kühn, auf die seltenen Zeichen der Zeit aufmerksam zu machen?

(28)

⟨Vorrede zum geplanten zweiten Buch⟩

Noch einmal und *noch vielemale* wird hier der Versuch gemacht, den Blick des sehnsüchtigen Menschen von dem schönen und guten Schein, dem ererbten Besitz der alten Zeit hinweg zum schauerlichen, dröhnenden Sein zu wenden.

Wo die Führer der Menge nach rechts weisen, gehen wir nach links; wo sie ein Ziel zeigen, kehren wir um; wovor sie warnen, da eilen wir hin.

Die Welt ist zum Ersticken voll. Auf jeden Stein hat der Mensch ein Pfand seiner Klugheit gelegt. Jedes Wort ist gepachtet und belehnt. Was kann man thun zur Seligkeit als alles aufgeben und fliehen? als einen Strich ziehen zwischen dem Gestern und dem Heute?

In dieser That liegt die große Aufgabe unsrer Zeit; die eine, für die es sich lohnt zu leben und zu sterben. In diese That mischt sich keine Verachtung gegen die große Vergangenheit. Wir aber wollen Anderes; wir wollen nicht wie die lustigen Erben leben, leben von der Vergangenheit. Und wenn wir es wollten, könnten wir es nicht. Das Erbe ist aufgezehrt; mit Surrogaten macht sich die Welt gemein.

So wandern wir fort in neue Gebiete und erleben die große Erschütterung, daß alles noch unbetreten, ungesagt ist, undurchfurcht und unerforscht. Die Welt liegt rein vor uns; unsre Schritte zittern. Wollen wir wagen zu gehen, so muß die Nabelschnur durchschnitten werden, die uns mit der mütterlichen Vergangenheit verbindet.

Die Welt gebiert eine neue Zeit; es gibt nur eine Frage: ist heute die Zeit schon gekommen, sich von der alten Welt zu lösen? Sind wir reif für die vita nuova? Dies ist die bange Frage unsrer Tage. Es ist die Frage, die dieses Buch beherrschen wird. Was in diesem Buche steht, hat nur Beziehung zu dieser Frage und dient keiner anderen. An ihr soll seine Gestalt und sein Wert gemessen werden.

(29)

⟨Vorwort zur zweiten Auflage⟩

»Alles was wird, kann auf Erden nur angefangen werden.«

Dieser Satz Däublers kann über unserem ganzen Schaffen und Wollen stehen. Eine Erfüllung wird sein, irgendwann, in einer neuen Welt, in einem anderen Dasein. Wir können auf Erden nur das Thema geben. Dies erste Buch ist der Auftakt zu einem neuen Thema. Seine sprunghafte, unruhig bewegte Art hat dem aufmerksam Lauschenden den Sinn, in dem es erdacht wurde, wohl verraten. Er fand sich in einem Quellgebiete, in dem es gleichzeitig an hundert Plätzen geheimnisvoll pocht, bald verdeckt, bald offen singt und murmelt. Wir gingen mit der Wünschelrute durch die Kunst der Zeiten und der Gegenwart. Wir zeigten nur das Lebendige, das vom Zwang der Konvention Unberührte. Allem, was in der Kunst aus sich selbst geboren wird, aus sich lebt und nicht auf Krücken der Gewohnheit geht, dem galt unsere hingebungsvolle Liebe. Wo wir einen Riß in der Kruste der Konvention sahen, da deuteten wir hin; nur dahin, da wir darunter eine Kraft erhofften, die eines Tages ans Licht kommen würde. Manche dieser Sprünge haben sich seitdem wieder geschlossen, unsere Hoffnung war umsonst; aus anderen wieder sprudelt heute schon eine lebendige Quelle hervor. Aber dies ist nicht der einzige Sinn des Buches. Der große Trost der Geschichte war von jeher, daß die Natur durch allen verlebten Schutt hindurch immer neue Kräfte emporschiebt; wenn wir unsere Aufgabe nur darin sähen, auf den natürlichen Frühling einer neuen Generation zu weisen, könnten wir dies ruhig dem sicheren Gang der Zeit überlassen; es läge kein Anlaß vor, den Geist einer großen Zeitenwende mit unserem Rufen heraufzubeschwören.

Wir setzen großen Jahrhunderten ein Nein entgegen. Wir wissen wohl, daß wir mit diesem einfachen Nein den ernsten und methodischen Gang der Wissenschaften und des triumphierenden ›Fortschrittes‹ nicht unterbrechen werden. Wir denken auch nicht daran, dieser Entwicklung vorauszueilen, sondern gehen, zur spöttischen Verwunderung unserer Mitwelt, einen Seitenweg, der kaum ein Weg zu sein scheint, und sagen: Dies ist die Hauptstraße der Menschheitsentwicklung. Daß uns heute die große Menge nicht folgen kann, wissen wir; ihr ist der Weg zu steil und unbegangen. Aber daß schon heute manche mit uns gehen wollen, das hat das Schicksal dieses ersten Buches uns gelehrt, das wir nun in gleicher Gestalt noch einmal hinausgehen lassen, während wir selbst schon losgelöst von ihm in neuer Arbeit stehen. Wann wir uns zum zweiten Buche sammeln werden, wissen wir nicht. Vielleicht erst, wenn wir uns wieder ganz allein befinden werden; wenn die Modernität aufgehört haben wird, den Urwald der neuen Ideen industrialisieren zu wollen. Ehe das zweite Buch erfüllt wird, muß vieles abgestreift und vielleicht mit Gewalt abgerissen werden, was sich in diesen Jahren an die Bewegung angeklammert hat. Wir wissen, daß alles zerstört werden kann, wenn die Anfänge einer geistigen Zucht von der Gier und Unreinheit der Menge nicht bewahrt bleiben. Wir ringen nach reinen Gedanken, nach einer Welt, in der reine Gedanken gedacht und gesagt werden können, ohne unrein zu werden. Dann nur werden wir oder Berufenere als wir das andere Antlitz des Januskopfes zeigen können, das heute noch verborgen und zeitabgewandt blickt.

Wie bewundern wir die Jünger des ersten Christentums, daß sie die Kraft zur inneren Stille fanden im tosenden Lärm jener Zeit. Um diese Stille flehen wir stündlich und streben nach ihr.

V

Aus der Kriegszeit

(30–35)

(30)

August Macke †

Hageville, 25 X. 14

Das Blutopfer, das die erregte Natur den Völkern in großen Kriegen abfordert, bringen diese in tragischer [Begeisterung], reueloser Begeisterung.

Die Gesamtheit reicht sich in Treue die Hände und trägt stolz, [und ohne Klage] unter Siegesklängen den Verlust.

Der Einzelne, dem der Krieg das liebste Menschengut gemordet hat, würgt in der Stille die Thränen hinunter; der Jammer kriecht wie der Schatten hinter den Mauern. Das Licht der Öffentlichkeit kann und soll ihn nicht sehen; denn die Gesundheit des Ganzen will es so.

Aber die große Rechnung des Krieges ist [da] mit allem dem nicht beglichen. Das grausame Ende kommt schleichend, langsam, sicher nach, in Zeiten, in denen der Quell des Leides nur mehr langsam rinnt.

Dieses Furchtbare ist der Zufall des Einzeltodes, der mit jeder tötlichen Kugel das spätere Geschick des Volkes [beeinflußt] unerbittlich bestimmt und verschiebt. Im Kriege sind wir alle gleich. Aber unter tausend Braven trifft eine Kugel einen *Unersetzlichen*. Mit seinem Tode wird der Kultur eines Volkes eine Hand abgeschlagen, ein Auge blind gemacht.

Wie viele und [große] schreckliche Verstümmelungen mag dieser grausame Krieg unserer zukünftigen Kultur gebracht haben! Wie mancher junge Geist mag gemordet sein, den wir nicht kannten und der unsre Zukunft in sich trug.

Und manchen kannten wir gut, ach nur zu gut!

August Macke, der »junge Macke« ist tot.

Wer sich in diesen letzten, ereignisvollen Jahren um die neue deutsche Kunst gesorgt hat, wer etwas von unsrer künstlerischen Zukunft ahnte, der kannte Macke. Und die [ihn kannten wie] mit ihm arbeiteten, wir, seine Freunde, [die] wir wußten, welche heimliche Zukunft dieser geniale Mensch in sich trug. Mit seinem Tode knickt eine der schönsten und kühnsten Kurven unserer deutschen künstlerischen Entwicklung jä ⟨sic!⟩ ab; keiner von uns ist im Stande, sie fortzuführen. Jeder zieht seine eigene Bahn; und wo wir uns begegnen werden, wird er immer fehlen.

Wir Maler wissen gut, daß mit [seinem Wegscheiden] dem Ausscheiden seiner Harmonien die *Farbe* in der deutschen Kunst [verblassen] um mehrere Tonfolgen verblassen muß und einen stumpferen, trockeneren [Klang] Ton bekommen wird. Er hat vor uns allen der Farbe den hellsten und reinsten

Klang gegeben, so [hell] klar und hell als sein ganzes Wesen war. Gewiß ahnt das Deutschland von heute [noch] nicht, was alles es diesem jungen, toten Maler schon verdankt, wieviel er gewirkt und wieviel ihm geglückt ist. Alles was [er] seine geschickten Hände anfaßten und [dem er] wer ihm nahe kam, wurde lebendig, jede Materie und am meisten die Menschen, die er magisch in den Bann seiner Ideen zog. Wie viel verdanken wir Maler [selbst] in Deutschland ihm! Was er nach außen gesät, wird noch Frucht tragen und wir als seine Freunde wollen sorgen, daß sie nicht heimlich bleibt.

Aber sein Werk ist abgebrochen, trostlos, ohne Wiederkehr. Der gierige Krieg ist um einen Heldentod reicher, aber die deutsche Kunst ist [zugleich] um einen Helden ärmer geworden.

(31)

Im Fegefeuer des Krieges

»Im Anfang war die That.«

Was wir Krieger in diesen Monaten draußen erleben, überragt in weitem Bogen unsre Denkkraft. Wir werden Jahre brauchen, bis wir diesen sagenhaften Krieg als That, als unser Erlebnis werden begreifen können.

Vielleicht schürfen die in der Heimat Verbliebenen schon ein paar Schichten tiefer in seinen Geheimnissen. Wir, die wir draußen sind, immer Erwartungen und Befehle im Kopf, unermüdlich reiten und marschieren, um dann ein paar Stunden wie Bären zu schlafen; – wir können nicht denken. Wir können nur primitiv erleben; unser Bewußtsein schwankt oft zwischen zwei Fragen: Ist dieses tolle Kriegsleben nur ein Traum, oder sind unsre Heimatgedanken, die uns manchmal streifen, der Traum? Eher scheint beides ein Traum zu sein, als beides wahr.

Wir liegen an einem Waldrand mit unsern Munitionswagen; gewitterartig rollt der Kanonendonner am ganzen Horizont. Überall die kleinen Sprengwölkchen; beides gehört schon zur Landschaft, wie auch das Echo, das jeden Schuß verdoppelt weiterträgt.

Plötzlich ein merkwürdiges Surren, das in einem ungeheuren Bogen über uns weggeht, ungleich, in steten Schwingungen, übergehend von hellem Pfeifen in tiefes Brummen; wie der hohe weite Schrei eines Raubvogels, immer kurz hintereinander, mit dem Eigensinn des Tieres, das keinen anderen Ruf kennt. Dann in der Ferne der dumpfe Knall. Es sind schwere feindliche Artilleriegeschosse, die über uns wegrasen, nach einem uns unbekannten Ziel. Ein Schuß zieht den anderen nach; der Himmel steht im reinsten Herbstblau und doch fühlen wir die hohen Rinnen, in denen die Geschosse ihn durchstürmen.

Der Artilleriekampf hat selbst für den Artilleristen oft etwas Mystisches, Mythisches. Wir sind Kinder zweier Welten. Wir Menschen des zwanzigsten Jahrhunderts erfahren täglich, daß alle Sage, alle Mystik, aller Okkultismus einmal Wahrheit wird, also auch einmal Wahrheit gewesen ist.

Was Homer von dem unsichtbaren, donnergrollenden Zeus singt, dem fernhintreffenden, und von Mars mit seinen unsichtbaren Pfeilen, wir haben es zur Wahrheit gemacht.

Und doch schützt uns alles Wissen nicht vor dem mystischen Schauer.

Man sagt uns, daß das nahe Städtchen S. vom Feind in Brand geschossen

wird, also liegen wir wohlgeborgen unter dem Zenith der großen Geschoß-
kurve. Wir bleiben die Nacht in Stellung; das Sausen tönt über uns laut singend
durch die klare Nacht. Wir schlafen in unsre Mäntel gehüllt. Die Pferde senken
die Köpfe und ruhen im müden Stehen.

Nun ist ein jeder für sich und kann träumen, denken, wenn der Schlaf ihm
nicht die Gedanken wegreißt.

In einer kleinen Ecke unsres Bewußtseins grübeln wir vielleicht noch zwischen Wachen und Schlafen: Kaum war ein großer Krieg weniger Rassenkrieg
als dieser.

Wo ist heute die germanische Rasse? Hat dieses Wort je ein größeres Fiasko
erlebt? Man wird sich endgiltig ⟨sic!⟩ daran gewöhnen, statt ›germanisch‹
das Wort ›deutsch‹ zu setzen; dafür wird der deutsche Adler auch ein paar
wuchtige Krallen mehr in sein Wappen bekommen. Den neuen deutschen
Adler möchte ich gern zeichnen, wenn dieser Krieg einmal vorbei ist.

Ja, wenn der Krieg einmal vorbei ist, – was wird dann in Deutschland?
Wird es neben dem politischen Deutschland auch ein künstlerisches geben?

Wir haben in den letzten Jahren vieles in der Kunst und im Leben für
morsch und abgethan erklärt und auf neue Dinge gewiesen.

Niemand wollte sie.

Wir wußten nicht, daß so rasend schnell der große Krieg kommen würde,
der über alle Worte weg selbst das Morsche zerbricht, das Faulende ausstößt
und das Kommende zur Gegenwart macht.

».. . sondern man soll den Wein in neue Schläuche fassen.«

Durch diesen großen Krieg wird mit vielem anderen, das sich zu Unrecht in
unser zwanzigstes Jahrhundert hinübergerettet hat, auch die Pseudokunst ihr
Ende finden, mit der sich der Deutsche bislang gutmütig zufrieden gegeben hat.

Der Drang der Deutschen, formbildnerisch neues in Musik, Dichtung und
Kunst aufzunehmen, war in der letzten Generation so gering, daß man sich die
schlechtesten und fadenscheinigsten Wiederholungen alter guter Kunstformen
gefallen ließ. Das Volk als Ganzes ahnte wohl den großen Krieg sicherer als der
Einzelne und spannte alle seine Nerven nach ihm.

Kunst in solcher Wartezeit war nicht aktuell; Kunst als Volksthat unzeitge-
mäß.

Das Volk ahnte, daß es erst durch den großen Krieg gehen mußte, um sich
ein neues Leben und neue Ideale zu formen. Es behielt recht mit seinem Un-

willen, in elfter Stunde neue Kunstideen aufzunehmen. Man sät nicht feinen Samen, wenn ein Sturm am Himmel steht.

Er ist schnell hereingebrochen und hat manche zarte Saat zerstört.

Ich glaube nicht, daß viel von dem, was wir neuen Maler in Deutschland vor dem Kriege geschaffen haben, Wurzel fassen konnte. Wir werden von vorn anfangen müssen zu arbeiten; erst an uns selber in der Schule dieses großen Krieges, dann an unserm deutschen Volk. Denn wenn das große Aufatmen kommt, wird der Deutsche auch wieder nach seiner Kunst fragen, ohne die er in keiner reifen Zeit war.

Er war Bildner in der Gotik, Dichter und Musiker im neunzehnten Jahrhundert und wird wieder Bildner im zwanzigsten Jahrhundert sein. Wir Deutsche sind seit der Gotik formbildnerisch unsagbar arm geworden; wir besorgten anderes für die Welt; heute besorgen wir das Letzte: diesen entsetzlichen Krieg. Wer ihn draußen miterlebt und das neue Leben ahnt, das wir uns mit ihm erobern, der denkt wohl, daß man den neuen Wein nicht in alte Schläuche faßt. Wir werden das neue Jahrhundert mit unserm formbildnerischen Willen durchsetzen.

»Wer da hat, dem wird noch gegeben werden.«

Wie viele Gedanken Christi sind heute noch ungewußt, ungenutzt, verschwiegen. Jede Zeit hat ihren Christus, den sie verdient, und nimmt so viel aus diesem unerschöpften Born, als ihre Krüge fassen.

Der große Nazarener hat die Gesetze der Natur intuitiv erfaßt. Seine bilderreiche Sprache hat neben unsrem neuen erkenntnistheoretischen Denken ihre Wucht nicht verloren. Seine tiefsten Gedanken wandeln noch parallel mit unserm Forschen; wir hören noch immer das Murmeln dieses lebendigen Quells neben uns.

In so wilden Tagen wie den unsern werden alle uralten Fragen neu gestellt, manche toten, totgesagten Fragen stehen auf aus ihren Gräbern. Alle großen Ereignisse der Weltgeschichte sind große Gerichtstage für die menschliche Erkenntnis. Die ehrwürdigsten Meinungen und Glaubenssätze [, die in der Not unsrer Zeit geboren,] werden neu gewogen. Was gestern galt, ist heute verpaßt und abgethan. Nur die guten Dinge bleiben, die echten, inhaltsschweren, wahren; sie gehen geläutert und gestählt durch das Fegefeuer des Krieges.

Wir Europäer haben in jahrhundertelanger ernster, gemeinsamer Arbeit einen solchen echten – nach Menschenwissen echten, wahren – Schatz gehoben, ein Erbgut, das noch jeden Krieg überdauert hat und an dem kein Rost nagt: die »exakten Wissenschaften«. Zum ersten und einzigen Male ist dem menschlichen Geist das »Absolute« geglückt: sich ein Reich zu schaffen, das auch »nicht von dieser Welt« ist und doch alles, was Welt ist, fühlend und ordnend durchdringt. Die Wissenschaften kennen keine nationalen Schranken, die Politik hat keinen Raum in ihnen. Alle modernen Menschen, alle guten Europäer stehen im Bann und Bunde dieses Reiches.

Vestigia terrent! Wir können es nicht gutheißen, daß dem Geiste dieses obersten europäischen Gewissens entgegen einige deutsche Gelehrte mit gutem Namen etwas unternommen haben, das in Europa wie ein Signal zum Bannbruch wirken könnte: sie verzichten »in deutschem Nationalgefühl auf die ihnen durch Auszeichnungen von englischen Universitäten, Akademien und gelehrten Gesellschaften erwiesenen Ehren und die damit verbundenen Rechte«. Das ist nicht gut. Hier wird auf dem freien Forum der Wissenschaft ein Zaun errichtet; er kann nicht lange stehen; denn die Wissenschaft ist stärker, eine geistige Macht, die sich in's Unendliche dehnt; aber der Versuch ist eben darum nicht gut, weil er keine Zukunft in sich trägt. Alle nationale, allzu nationale Erregung unsrer Tage kann ihn nicht rechtfertigen.

Der Feind steht nicht dort, wohin der Pfeil abgesandt wurde.

Unser deutscher Kulturgeist und nationaler Impuls muß in ganz anderer Richtung aktiv und aggressiv werden.

Soll der Krieg uns das bringen, was wir ersehnen und das in einem Verhältnis zu unsern Opfern steht – der Atem stockt vor dieser Riesengleichung – wird sie aufgehen? –, so müssen wir Deutsche nichts leidenschaftlicher meiden als die Enge des Herzens und des nationalen Wollens. Sie verdürbe uns alles. Wer hat, dem wird gegeben werden. Nur mit dieser Devise werden wir auch geistig die Sieger bleiben und die ersten Europäer sein. Der kommende Typ des Europäers wird der deutsche Typ sein; aber zuvor muß der Deutsche ein guter Europäer werden. Das ist er heute nicht immer und überall.

Das Deutschtum wird nach diesem Kriege über alle Grenzen schwillen. Wenn wir gesund und stark bleiben und die Frucht unsres Sieges nicht verlieren wollen, brauchen wir eine ungeheure Saugkraft und einen Lebensstrom, der alles durchdringt, ohne Angst und Bedenken vor dem Fremden, Neuen, das uns unsre Machtstellung in Europa bringen wird. Wie früher einmal Frankreich das Herz Europas war, wird es von nun an Deutschland sein, wenn es sich nicht durch nationale Engherzigkeit um die Frucht seiner Siege bringt. Das sollten die Unsern in der Heimat bedenken. Wir, die wir im Felde stehen, atmen eine freiere, ritterlichere geistigere Athmosphäre ⟨sic!⟩. Wir duellieren uns mit dem Gegner; wir sehen nur ihn, den Soldaten vor uns. Wir schlagen ihn, aber wir denken nicht daran, die französische Kultur auszuschwefeln. Manche Nachricht, die uns von daheim erreicht, riecht leider stark danach. Hat man in unsrer Heimat [Angst] Bangen vor der Siegesbeute? Denkt man, dass sie unverdaulich sein wird? Wir strömen nicht über die Grenzen, um nachher eine chinesische Mauer um unser Haus zu ziehen. Wir sind reich und stark genug, um im Kriege der Festungen und im Frieden des Zaunes zu entraten. In geistigen Dingen dürfen wir nicht ängstlicher, engherziger sein als in allem anderen. Auch in der Kunst darf es nicht anders sein. Kannten wir doch ehedem auch nie [die] Furcht vor dem Fremden. Haben die maurisch-französischen Einflüsse der deutschen Gotik geschadet? Freuen wir uns nicht heute noch, wenn wir diesem graziösen Reichtum begegnen, den unsre alten Künstler zu dem ihrigen gemacht haben? Der orientalische Einfluss von der Gotik bis zur Renaissance ist wahrlich nicht auf die Verlustliste der deutschen Kunst zu setzen. Unsre deutschen Bibeln sind darum nicht weniger deutsch.

So wird es auch an unserm Talente liegen, die von Übergeistigung und Auflösung bedrohte Kunst der heutigen Romanen unsrer kommenden Kultur zu assimilieren, – nicht um die zu konservieren, sondern um uns zu bereichern, im Bewusstsein unsrer unverbrauchten Kraft und aus Freude am Reichtum. Aus dem Osten (slawisch und orientalisch) wird sich unsre Kunst auch manchen Edelstein nehmen, ihn neu in unsrer Kunst zu fassen.

Kein fremder Reichtum darf uns fremd sein, wenn wir reich bleiben wollen.

(32)

Das geheime Europa

Die Geschichte der europäischen Völker hatte sich aus uralten Herkünften und unbegriffenen Schicksalen zu einem Rattenkönig widerstreitender Interessen so schlimm verkettet und verfilzt, daß alles Auseinanderzerren und Schlichten, alle Schiedsgerichte und Reformen eine gutgemeinte Farce blieben. Niemand glaubte mehr im Ernste an solche homöopathische Heilung unsrer europäischen Krankheit. Es gab nur eine Rettung, das uralte Mittel des Blutopfers. Der Instinkt der Massen hat den Sinn begriffen und riß ein Volk nach dem anderen in den mörderischen Krieg.

Es ist eine von Vordergrundsinteressen eingegebene Fiktion, die Schuld am Weltkriege einem einzigen Volke wie dem verhaßten Engländer zuzuschieben. Die Politik steht mit dem Sinn und Gang der Weltgeschichte in sehr losen und sekundären Zusammenhängen; sie ist immer nur die Maske und nicht der Geist, Regie aber nicht Dichtung. Es ist traurig, daß selbst dem besonnenen Deutschen dieser Gedanke so fremd ist, daß er ihn als Blasphemie und als Verrat an der deutschen Sache empfindet. »Wirtschaft, Horatio, Wirtschaft!« Nein und tausendmal nein, wir Deutsche kämpfen nicht um unsern Platz an der Sonne; um dieses Interesse würde die Welt nicht in Flammen aufgehen. Der Krieg geht um mehr. Europa ist krank am alten Erbübel und will gesund werden, darum will es den furchtbaren Blutgang. Wir, die draußen im Felde stehen, fühlen am tiefsten, daß diese grauenvollen Monate nicht nur – physiologisch geredet – eine politische Kräfteverschiebung bedeuten werden, sondern – geistig gesehen – ein tiefes völkergemeinschaftliches *Blutopfer* darstellen, das alle um eines gemeinsamen Zieles willen bringen. Selbst der gemeine Soldat draußen ist mit allem politischen [und hetzerischen] Geschrei nicht zu überreden, den französischen, belgischen, russischen oder englischen Soldaten zu *hassen*. Er würgt den Gegner, aber er haßt ihn nicht. Wo Haß besteht, wendet er sich bezeichnenderweise nur gegen die Politiker, die [paar Großfürsten und Lords und Schreier] falschen und unehrlichen Regisseure des Krieges, wie wenn diese das hehre Duell, das sich Europa liefert, durch ihre [gemeinen Ränke] plumpen Hände entwürdigten. Es ist auch nicht anders. Die Politiker sind nichts als Werkzeuge, deren sich der Wille der Völker bedient, die Mörder, die er dingt. Das ist keine sophistische Verdrehung, sondern eine Thatsache, die wie ein Glückszeichen über den kämpfenden Armeen steht. Der Haß ist unrein. Die Welt aber will rein werden, sie will den Krieg. Welcher Europäer möchte heute den Weltkrieg ungeschehen wissen? Nicht einmal der Engländer! Das Volk hat Instinkt. Es weiß, daß der Krieg es reinigen wird. *Um Reinigung wird der Krieg geführt* und *das kranke Blut vergossen.*

Eines fehlt heute freilich in Europa: das freie, öffentliche Forum, auf dem solche Gedanken im »öffentlichen Interesse« gesprochen werden dürfen; denn das öffentliche Interesse steht heute dem politischen noch zu nahe. Aber viele tragen solche Gedanken still und froh in sich; es gibt ein geheimes Europa, das vielwissende, alles hoffende Europa der geheimen Geister, den Typ des »guten Europäers«, den schon Nietzsche entdeckt und geliebt hat. Hier schlägt das Herz der Welt, überschrien vom Vordergrundgeschrei der Tagesgeister, nur hörbar dem, der in der Nacht, – vielleicht in einer Biwaknacht – das Ohr an die alte, europäische Erde legt.

Die Liebe zum guten Deutschtum muß heute verschränkt gehen mit der Liebe zum guten Europäertum. Nur mit ihr und durch sie wird Deutschland das Jahrhundert haben, das es sich ersehnt. Die Grenzen sollen nicht neu gesteckt, sondern gebrochen werden. Die Liebe zum europäischen Gedanken ist das Zeichen, in dem allein Deutschland siegen kann.

Auch Asien ist heute nur mehr eine europäische Provinz, der Resonanzboden der europäischen Thaten. Europa ist zu klein, um den ungeheuren Aktionsradius des europäischen Willens aufzunehmen; so gerät Asien hinein in den europäischen Blutkreislauf. Vielleicht wird das übermütig-gewissenlose Japan noch einmal eine Hand des europäischen Mannes. Vielleicht einmal. Heute weiß die rechte Hand nicht, was die linke thut.

Alle alten Religionen sind heute Vergangenheit oder bilden eben noch eine Gegenwart, die schon Vergangenheit ist. Zwischen dem Moder dieses Sterbens wächst ein neuer Gedanke, an dem schon ein Jahrhundert mit sehnsüchtigem Instinkt gearbeitet hat und für den es in Revolutionen [und Kriegen] geblutet hat: der *europäische Gedanke*, der heute in keuscher Majestät über alle vergangenen Religionsformen aufragt. Dies gerade heute auszusprechen und bei solchem Namen zu nennen, inmitten des wütenden und unwürdigen Nationengekläffes, mag wie Ironie klingen; gerade darum muß es heute gesagt werden. Das gestaltlose, aller Gewalt voraufgehende Wissen, der Gedanke lebt lange, bevor er Form, Lebensform wird; der Geist geht der Gestalt voraus.

Die Lust des reinen Wissens um die Dinge, die Erlösung vom Stoffglauben, Beherrschung und Überwindung des Stoffes, das Herrentum des Europäers, der seine Hand zwischen die Maschen der Natur schiebt, die Macht zu »binden und zu lösen«, Paradigma und Erfüllung aller alten Religionswunder, ihre Überwindung durch keusches Wissen, – das ist die neue Zeit, das neue, end-

liche Europa. Diese dunklen schwankenden Worte werden dem Nachdenken-
den wohl vernehmlich sein. Es ist nicht gut, daraus Manifeste zu schmieden.
Erst muß der Krieg den gordischen Knoten, mit dem der Europäer gefesselt
war, zerhauen helfen. Der sehnsüchtige [, gute] Europäer hat oft und lange
genug an ihm gezerrt und den Knoten gelockert. Ihr Europäer habt nach dem
Kriege die Arme frei, – gebraucht sie! gebraucht sie schnell und gründlich,
ehe der dumpfe, immer bereite Geist der Reaktion mit trübem Thun Euch
anfällt. Unsre soldatischen Sinne sind wach und sind geschärft für die Gefahr
und für die tausend Möglichkeiten des Sieges und Widerstandes. Laßt uns
Soldaten bleiben auch nach dem Kriege, dessen Ende dem Deutschen, dem
guten Europäer niemals fraglich sein kann. Denn in diesem Kriege kämpfen
nicht, wie es in Zeitungen steht und wie die Herrn Politiker sagen, die Zentral-
mächte gegen einen äußeren Feind, auch nicht eine Rasse gegen die andre,
sondern dieser Großkrieg ist ein *europäischer Bürgerkrieg, ein Krieg gegen den
inneren, unsichtbaren Feind des europäischen Geistes.* Das muß einmal ausgesprochen
und begriffen werden; dann wird man auch begreifen, daß wir nach dem entsetzlichen Blutopfer des Krieges den inneren Feind, den Ungott und Unhold
Europas, die Dummheit und Dumpfheit, das ewig Stumpfe mit allen Waffen
fort und fort bekämpfen müssen, um zu helleren Klängen, zur Helligkeit des
europäischen Typus durchzudringen.

Wir sehen aus bitterer geschichtlicher Erfahrung die bedrohliche Gefahr
eines neuen Empire vor uns und mit ihm die immer dienstbeflissene Reaktion,
den Überdruß am Kampf, ehe der Sieg und die Reinigung ganz vollzogen sind.
Laßt uns wachsam bleiben auch über den Krieg hinaus und die Waffen in der
Hand halten, um alles was Frieden will, sich hinlegen will, wieder Kleinheit
der Zeit will, nichts mehr will, aufzuputschen und neu zu begeistern für den
Kampf um den »Geist Europas«, der nur auf uns Soldaten und Arbeiter, auf
unsre Hand wartet.

Ich weiß nicht, ob ich heute zu vielen oder zu ganz wenigen rede. Vielleicht
ist das geheime Europa, dem wir angehören, noch verschwindend klein, – vielleicht auch schon tausendmal größer als wir wissen. Uns kümmert die Frage
nicht. Heute sind alle Grenzen verwischt, alles dehnt sich in's Unendliche, alles
grenzt an das Absolute. Die Gedanken sind an keinen Ort, an kein Oben und
Unten und Neben gebunden. Die Verantwortung für jedes gesprochene Wort
ist in's Ungeheure gewachsen, denn es erreicht heute nicht den Nächsten,
sondern den Allerfernsten; der Umkreis der kleinsten und geheimsten Sippe
umfaßt die ganze Welt. Die olympische Macht des Europäers, des »Donne-
rers« und »Allwissenden« ist mehr als ein griechisches, dichterisches Gleichnis.

Warum wir dies alles sagen?

Was wir damit sagen wollen?

Was wir wollen?

Wir wollen, daß das entsetzliche Blutopfer des europäischen Bruderkrieges nicht umsonst gebracht ist. Wir wollen den Rückschlag in das Nichtwollen, Nichtmehrwollen auffangen, den Kriegsball noch einmal vorwärtsschleudern und ihn in das Gebiet des Geisteskampfes hinüberspielen. Dort ist noch alles zu thun, die stärksten Forts zu brechen, ehe der europäische Typus auf ihnen als Herr, als Nietzsches Herrenmensch steht.

Noch ist der Krieg nicht vorbei; aber er wird enden, so, wie wir ihn enden wollen. Der Deutsche lebt immer im Übermorgen. Aber die Stimmen aus der Heimat, die uns im Felde erreichen, sind wenig ermutigend für dieses Übermorgen, das wir erhoffen. Es ist ein trauriges in der Irre Laufen, hüben wie drüben, auch hüben, auch bei uns guten Deutschen. Ich leuge nicht die Nützlichkeit, ja die eiserne Notwendigkeit, heut die politische Maske zu wahren. Wir Soldaten sind die letzten Spielverderber und lieben das Kriegsspiel und den Kriegsernst über allem anderen. Aber wir können über dem blutigen Ernst des Tages den besseren Teil der That, das Ende nicht vergessen, den Anfang und Auftakt zur Geistesherrschaft des neuen, guten Europäers, den kommenden Kampf, der noch mehr Opfer und Tode fordern wird als der blutige Krieg. Wie viel Liebem und Gutem werden wir absagen müssen, wie viel Tempel und Grenzen werden brechen, bis die kühle, keusche Majestät des Europäers Typus, »Religion« geworden sein wird. Bis dahin wird Krieg sein und soll Krieg sein und darf kein Friede über uns Deutsche kommen; denn wir halten das Schicksal Europas in der Hand und werden es nicht geographisch und mit Handelsverträgen und Friedensschlüssen entscheiden, sondern nur im Geisteskampf, der nicht weniger unerbittlich vor uns steht wie einst der blutige Krieg, der über dem entsetzten Europa langsam tagte. Jeder wußte, daß er kommen würde. Und auch heute, glaub ich, fühlt jeder, daß dieser Geisteskampf kommen wird, kommen muß. Möge Deutschland, um Europas willen, für ihn ebenso gerüstet sein wie für den andern Krieg.

Wird es auch wie ein Mann aufstehen?

Das ist die Frage, um die wir uns sorgen und in welche die Klänge aus der Heimat manchen schweren Zweifel legen. Die Aktualität des Krieges bannt hypnotisch die in der Heimat Harrenden. Sie sehen in ihm ein Ziel statt einen Durchgang. Wer heute daheim das Wort ergreift, glaubt biedermännisch, volkstümlich und naiv sein zu müssen – oder zu dürfen. Nur vom Nächstliegenden, Nächstbestliegenden darf geredet werden; alles Andere erscheint dem

Deutschen heute als – Luxus, als unvaterländich, womöglich als Ausländerei. Der bramarbasierende und [meist] weinerliche Reim ist heute auch schon wieder Trumph ⟨sic!⟩. Man denkt wohl, man ist diesen Ton dem »braven Soldaten im Felde« schuldig? Wenn dieser lächerliche Volkston, in Wort und Bild, noch lange weitergeht, stehen wir am Ende des Krieges wirklich als parvenus da: in der einen Hand das Welthandelsmonopol, in der andern eine hohle Nuß. Dann ade unserm europäischem Traum, der Militärunstaat tritt an seine Stelle; Das Siegesgeschrei *vor* dem Siege.

[Wilhelm Worringer] Man stellte für den jetzigen Krieg [im ›Zeitecho‹] die dualistische Theorie des »Geschlechterkampfes« auf, als wäre es ein Kampf des männlichen Prinzips gegen das weibliche, unsres männlichen Rechtsgefühls gegen die weibliche Hysterie unserer Gegner. Leider verdirbt [sich Worringer] man sich den Wert dieser allzuverlockenden Problemstellung durch die Unentschlossenheit, mit der [er] man hinter dem politischen Zaun der deutschen Nation stehen bleibt, statt das Problem auf den europäischen Gedanken einzustellen. Eher wäre es angemessen zu sagen, daß Europa durch diesen blutigen Austrag der Waffen die eigne Hysterie überwinden, die [schädlichen] giftigen und brüchigen Elemente, die dem alternden, in die Irre, Enge gegangenen Europa anhaften, ausstoßen will. Es ändert an dieser Problemstellung und Erweiterung nichts, daß die mannhaftesten Elemente Europas, nämlich die deutschen, auch den mannhaftesten, siegesgewissesten Anteil an diesem Drama haben. Der erste französische Verlust war nicht die Schlacht in Lothringen, sondern der ›Fall Bergson‹, dem in unheimlicher Schnelle ein ›Fall‹ nach dem andern folgte. [Die Ironie will es, daß Bergson kein Franzose, sondern ein [Däne] Pole ist!]

Daß sich Deutschland diesem débâcle gegenüber stärker und gesünder erwies als wir zu ahnen wagten, ist unser großes Lob. Wir zittern es auszusprechen und hoffen es nicht zu früh zu sagen. Die bedenkliche Kriegsliteratur, die heute in Deutschland aufschießt, ist ein trübes Symptom. Jedenfalls scheint es uns ein trügerisches Verfangen, um jenes frühen Lobes willen die zwei kriegerischen Lager Europas dualistisch in Mann und Weib, in Männlichkeit und Hysterie zu teilen. Das Problem liegt tiefer. Der Europäer kämpft in diesem Kriege um seine Gesundung und Zukunft, mit Worringer zu reden, gegen die Hysterie und die alternden verkalkenden Elemente seines Leibes.

(33)

Der hohe Typus

Kluge und klare Denker sprechen heute im Ernst die Befürchtung aus, daß der Krieg dem Katholizismus die Macht geben wird.

Wir zweifeln nicht, daß allein die reaktive Kraft der Kirche den ersten Rückschlag des Kriegstaumels, der kriegerischen Wildheit der Völker, aufzufangen vermag. Wir werden in nächster Zukunft als unmittelbarste Wirkung des Krieges einen Triumph der Kirche, ihre zeitweise Erhöhung erwarten dürfen. Wir werden der Kirche sogar dankbar sein für die reaktive Hilfe und Heilung, die sie den gemarterten und aufgeregten Massen bietet. Aber wir dürfen nicht mißverständlich eine Folge des Krieges nennen, was nur eine Ausgleichsbewegung, ein Pariren des zurückgleitenden Stoßes ist.

Die erneute Tätigkeit und Aktualität, die der Kirche für diesen Moment zusteht, birgt freilich die Gefahr in sich, daß die Kirche ihre beruhigende, bergende Kraft zu einem eigenen Vorstoß, zur Befriedigung ihres weltlichen und, was noch schlimmer ist, geistigen Machtwillens ausnutzt.

Wir leugnen nicht die Gefahr, daß es dazu kommen könnte. Die katholische Kirche sieht heute mit unheimlichem, wir fürchten, nicht ganz redlichem Schweigen dem blutigen Ringen zu. Ihre apostolische Klage klingt nicht aufrichtig; sie sieht allzu begierig die Ernte, die ihr reift.

Die eine Gefahr, die die Frucht der französischen Revolution verdarb, politische Großmannssucht, droht diesmal Europa nicht, solange wir Deutsche den Sieg in der Hand halten. Aber der Vergleich von heute und damals ist, zum Trotz der ganz veränderten Zeiten, doch nicht ohne tieferen Sinn; denn was sich damals im engeren Kreise des französischen Kulturstaates abspielte, erscheint als ein paradigmatisches Vorspiel des heutigen großen europäischen Bürgerkrieges. Dem tieferen Nachdenken erklärt sich das Blutvergießen von damals und heute als opfermutige, todesfreudige Ausbruchsversuche des Europäers, der sich aus den schlechten, – nicht so sehr materiell, als seelisch schlechten Spannungsverhältnissen, befreien wollte. Was damals erst nach dem Empire auftrat, die Reaktion der Kirche, steht heute wohl unmittelbar bevor. An unserer Wachsamkeit wird es liegen, der Kirche in den Arm zu fallen, wenn sie versuchen sollte, aus der notwendigen Reaktion, die sie von der Ermüdung der Welt auffängt, einen neuen Feldzug ihrer Machtgelüste zu gewinnen. Aber es wäre des Europäers unwürdig, Furcht und Unruhe vor der Zeit zu zeigen und demagogisch Alarm in eine Menge zu tragen, die wir nur beunruhigen, aber nicht zu unsern fernen Zielen sammeln können.

Die ungeheure Energiewärme, die dieser weltgeschichtliche Krieg erzeugt hat, muß sich einmal nach dem Gesetz der Erhaltung der Energie in latente Wärme abwandeln, – denn mehr, oder anderes bedeutet die Religiosität von heute nicht. Jeder Versuch, diese physikalische Logik der Geschichte zu kreuzen, müßte eine schädliche Zerstreuung der geeinten, ausruhenden Energien zur Folge haben. Lassen wir der Kirche, was der Kirche gebührt, – heute noch gebührt.

Niemand denke, daß mit solcher Zurückhaltung der Sinn und Wert des Blutopfers, das die Welt bringt, verloren ist. Die Reinigung geht vor sich; das alte Gift wird mit dem Blute ausgegossen. Aber laßt dem erschöpften Volke seinen Frieden nach dem Kriege, jeden Frieden, den es haben will.

Nur der Einzelne kämpft weiter, der Geistige, dessen Typus im Kriege gestählt ist.

Die riesenhafte Bewegung der Massen schuf eine Atmosphäre, in der die Funken weniger wirklicher Gedanken sich entzünden konnten. Wenn diese gelingen, kann die große Bewegung ruhig zurückfluten in ihr altes Bett und ihre Zeit in Ruhe erwarten. Ihr ungeheurer Aufwand war nicht umsonst. Was ist Aufwand! Die Natur rechnet nicht kaufmännisch, sondern schöpferisch. Um einen einzigen Gedanken zu gebären, müssen Welten kreißen. Denn dieser Gedanke gebiert selber wieder eine Welt.

Hoffentlich versteht man mich so weit, daß ich hier nicht auf politische Gedanken abziele und unter den schöpferischen Menschen nicht die Politiker verstehe, die meinen, mit ihrer Politik den Weltengang regulieren zu können. Diese Agenten der guten Gelegenheit machen nicht Weltgeschichte und wenn sie selbst mit Staaten Fangball spielen. Sie sind Meister des Ausgleichs. Ihre Aufgabe ist, die Massen zu formiren, zu ›uniformiren‹ und als gutes Werkzeug einem höheren Willen in die Hand zu geben. Ihre Tätigkeit ist auf die Massen gebannt und bestimmt nicht das höhere Schicksal des Menschen. Weltgeschichte ist aber nach unserem Sinn die Geschichte des erkennenden, Weltdunkel erhellenden Menschen; wir kennen nur Entwicklung des Einzeltypus, des hohen Typus, dessen Ziel heute ›Überwindung der Natur‹ heißt, ihre Entlarvung, Entwertung.

Ich sinne beständig nach, wie ich am eindringlichsten den Geist meiner Zeitgenossen auf den besonderen Sinn dieser Worte, die so schnell gesagt sind und so leicht zu wiegen scheinen, richten könnte; denn alles liegt daran, daß der Mensch der vordersten Linie, der gute Europäer, den Geist der Stunde, seiner Stunde, erkennt, damit die große Gedankenernte aus diesem Kriege nicht vertan ist.

Was dieses geheime Gedankenziel ist?

Das Reißen der Ketten, die Typusvollendung, der geistige Sieg des Europäers.

Der Weg zu diesem Ziel führt steil und heimlich durch Jahrtausende. Der erfinderische Mensch, der diesen gefährlichen Weg inmitten von Hemmungen schlich, erfand sich einst den Begriff ›Natur‹ als Verlegenheitsformel, um sich im ›Außen‹ zu erkennen; er umging das schwermütige, rätselhafte Ich durch seine Projektion in die Natur. Die Naturgesetze sind nicht nur in jenem allgemeinen, schopenhauerischen Sinne anthropomorph, daß diese Gesetze immer nur Kinder unsrer Sinnesorgane sein können, sondern in jenem besonderen Sinne, daß der künstliche Außenbegriff Physik sich eines Tages restlos auflösen wird, um ganz ungeschriebene Bewußtheit, Psyche zu werden und völlig in's Menschliche zurückzukehren. Lange genug schon beharrt der Mensch bei jenem kühnsten Dualismus, um durch Ausschalten seines Selbst zum ›exakten Wissen‹ über sich zu gelangen und die trügende Natur gefangen zu nehmen, die ihm so lange Jahrtausende den Blick hinter die Welt, in den Rücken der Gottheit gewehrt hat. Die Welt›an‹schauung der alten Welt, wird zur Welt›durch‹schauung der neuen Welt.

Zu diesem freien letzten Kampf müssen die schweren Ketten, die den europäischen Menschen an seine Vergangenheit schmieden, zerrissen werden.

Dazu war der Krieg.

Der Krieg rührt wie ein Zauberer alles Schlummernde, Ungesagte, auf; er wird zum Maß aller Dinge; jedes Ding und jeder Gedanke bekommt durch ihn die Größe oder Kleinheit, die er verdient. Jetzt ist die Stunde, in der alle Werte neu gemessen werden, und die Gedanken ihre neue, freie Form bekommen.

Der Europäer, auch der Edelste und Feinste, würgte seit langem wie ein Erstickender an seiner Vergangenheit. Alles zerfiel ihm, dem bestwollenden Europäer, in Stückwerk, alles blieb immer ›beim Alten‹, trotz des ›Fortschritts‹. Man lief und lief mit langen Schritten ereignisreich wie im Traum und blieb doch immer an der alten Stelle.

Da kam die Idee des großen Krieges über den Europäer, diese furchtbare einzige Idee, die von nun an seine schweren Träume beherrschte. Immer vertrauter wurde sie ihm. Er baute unablässig an ihr; sie wurde seine Dichtung. Noch nie ist eine Tat mit größerem Eifer vorbereitet und durchdacht worden. Nie war die Einmütigkeit der Europäer geschlossener als in der Idee dieses Krieges. Nie noch war eine Tat so völlig unabwendbar wie diese geworden, durch den selbstmörderischen Willen aller, sie zu tun.

Wenn sich heute keine Männer finden, die den Krieg in diesem tieferen Willenssinn verstehen, war die ganze Riesengeste, der Elementekampf umsonst, und wir sind ärmer, als zuvor. Doch liegt es im Gesetz jeglicher großen Entwicklung, daß die Masse den hohen Verlauf ihrer Typusvollendung nicht erraten darf, um die reine Entwicklung nicht zu hemmen. Der gemeine Europäer sieht die exakten Wissenschaften nur unter dem Gesichtspunkte des Positivismus und der Nützlichkeit an. Dieser uralte Deckbegriff des Nutzens umschließt vollständig das Denken der Menge und grenzt es hart von den höheren Wahrheiten ab. Die angewandten Naturwissenschaften sind der harmlose Zeitvertreib der Menge, ihr ›Fortschritt‹. Sie merkt nicht, daß sie dabei immer stehen bleibt, denn jeden sogenannten Fortschritt tauscht sie gegen den Verlust einer alten intuitiven Fähigkeit ein.

In Wirklichkeit bedeuten die Wissenschaften etwas ganz anderes: die Entgötterung der Welt, den Menschen an der Stelle Gottes.

Alles Geschehen auf dieser Welt trägt dies Doppelgesicht; es giebt nichts Doppelzüngigeres als die Geschichte. Ja, es giebt keinen großen Begriff, der nicht zwiefach wäre und nicht nach unten läge, um einer höheren Wahrheit willen.

Je größer ein Ereignis ist, wie dieser größte aller Kriege, um so riesiger ist die Folie, die die Menge braucht, um sich in das Ereignis zu fügen, und um so heimlicher und geistiger ist sein inneres Ziel.

Wir sind daher weit entfernt, die für jeden Kurzsichtigen desperate Haltung der deutschen Kunst und Literatur während und voraussichtlich auch nach dem Kriege, sowie dessen unzweifelhaften religiösen Rückschlag, tragisch zu nehmen und als besonders schlechtes Omen zu deuten. Gewiß ist es wenig erhebend, wenn uns im Felde Stehenden Bilder und Heimatklänge erreichen, die wie eine Parodie auf unsre soldatische Kühle und Mannbarkeit wirken. Aber wir haben im Felde viel gelernt. Die radikale Mischung aller Bevölkerungs- und Bildungsschichten im Einerlei des Feldgrau, die große Männerversammlung des Krieges hat unser Gefühl für die wahren Schichten, auf denen ein Volksganzes aufgebaut ist, sehr geschärft. Das Volk hat einen sicheren Instinkt für seine Lage; es orientiert sich meisterhaft am Weltbilde und schneidet sich mit sicherer Hand die Bilder heraus, die ihm etwas sagen; es läßt sich in seinem Patriotismus ebensowenig irre machen, als in seiner Musik und seinem Bildungsstolz. Es glaubt der Kirche nicht mehr, als ›nötig‹ ist. Die Volksseele sollen wir so wenig betrüben, als ein Kind, – das lernt man im Kriege. Wir lernen, mit unsern Problemen nicht im Lande umherzurennen und billige

Lösungen anzupreisen, sondern feine und gefährliche Pfeile nur auf feine und ferne Ziele abzudrücken.

Die Menge lernt willig und begierig. Wie gern und mühelos tauscht sie europäisches Wissen gegen mittelalterlichen Glauben ein; aber wie sie dieses Wissen umsetzt, auf ihr eigenes Leben und auf die Welt anwendet, das überläßt ihr selbst. Wir sollen zu der Menge nicht aus unsrer Schule schwatzen. Je enger wir den Kreis begrenzen, dem wir uns mitteilen, je behüteter das geheime Ziel ist, desto sicherer reift die Frucht unsrer Gedanken und Hoffnungen, von keinem vorweisen, hastigen Unverstand belastet.

Die Menge folgt langsam und von selbst, ja meist schneller, als wir ahnen. Wie schnell und vorschnell, viel zu schnell hat das französische Volk Voltaire begriffen; völkischer Unverstand überstürzte die Entwicklung und verdarb vieles, fast alles.

Voltaire ist wohl nicht schweigsam genug gewesen.

Kant war der große Schweiger seiner Zeit. – Seine ehernen Gedanken schweben noch immer über dem deutschen Volk einer Zukunftsferne zu.

Nietzsche war offener, aber er verstand es, die Menge abzuschrecken und die große Distanz zu halten.

Das Volk hat heute seinen guten Glauben an seinen großen Krieg und Sieg. Das Schicksal bewahre es vor finstern Demagogen, Monisten, Modernisten und Stilisten. Sie verderben die gute Zukunft der Deutschen, die Zukunft des guten Europäers.

Die Menge soll nicht ahnen, welchem Ziele die exakten Wissenschaften zusteuern; daß sie tötlich sind allem, was ihr heute noch heilig und bekannt und nötig ist. Das Wissen, das uns jeden Tag um Wüstenstrecken vorwärts reißt, das alles auflöst, was ehedem fest war, ist ein gefährliches Geheimnis der Wenigen. Der Mensch, der vorderste Mensch wird plötzlich frei und beginnt zu schweben und seine Richtung und Begrenztheit selber zu bestimmen. Die Natur, die früher Ziel, Bild und Vorbild, Wand und Grenze der Welt war, wird dem Europäer zur Formel, zum Werkzeug. Wenn wir heute auf der festen Erde gehen, ist es ein andres Gehen.

Was wir heute tun sollen?

Wir müssen wie der reiche Jüngling alles verlassen, alle alten Erb- und Reichtümer verschenken, wenn wir dem einen fernen Ziel, der Typusvollendung und Freiheit des Europäers zustreben wollen.

Von nun an wird zwischen dem Heute und Gestern stets der verzehrende Brand des Krieges wie eine Weltscheide stehen. Er hat den Sinn, den guten Willen des alten, alternden Europa ad absurdum geführt; der grausige Hohn dieses Jahres hat dem gutgläubigen Profetentum der europäischen Revisionisten und Reformler ein rasches, ungnädiges Ende bereitet und uns für immer vom alten Europa getrennt. Wir stehen auf der andern Seite, wir Wenigen, die Jünglinge, die der Rachen des Krieges an den fernen Strand gespien hat wie den murrenden Jonas. Laßt uns fortgehen, vorwärtsgehen, ohne zurückzublicken, daß wir kein Ärgernis geben und kein Ärgernis im Herzen mit uns nehmen über die, die der Krieg erschöpft hat, daß sie wie Kinder am Wege weinend stehen und nach Hause wollen, Frieden wollen, nichts wollen. Uns hat der große Krieg erfrischt und befreit.

(34)

⟨Bemerkungen zu: L.N. Tolstoi, Was ist Kunst?⟩

⟨Seite 12⟩

Tolstoi behandelt diese wichtige weitreichende Frage zu einfach. Die höhere schulmäßige Ausbildung auf den musikalischen Akademien ausschalten heißt zugleich die musikalische Erziehung des Ohres (– denk an Deine Mutter, – auch an Dich) auf sehr bedenkliche Weise wieder aufgeben. Es ist auch nicht ganz wahr, daß das Volk, das die Kuh hergibt, nichts dafür empfängt. Wir haben nicht nur Hofopern, sondern auch Volkskonzerte, der gute Wille besteht zweifellos, dem *Volke Musik* zu geben. Das Volk selbst schafft zum größten Teil sehr schlechte Musik, sentimentale und noch mehr frivole; wir haben die Seele unsres Volkes entschieden *erzogen* zu ernsterer Musik und wäre es auch durch kriegerische und erotische Musik (Beethoven – Wagner). Das Volk hat eben hauptsächlich kriegerische und erotische Neigungen, außerdem religiöse, die wir durch Kirchenmusik befriedigen. Aber auch sie ist zum größten Teil sehr sinnlich, aufregend und durch Pracht bethörend, – aber was sollen wir eigentlich aus dem Volk machen? Tolstoi geht viel zu einseitig an den schwersten Volksproblemen vorbei. Genau antworten kann ich aber auch nicht. In der Malerei ist es natürlich gänzlich übel. Hier folgt das Volk seinen dümmsten Instinkten, – vielleicht doch *mangels an Bildung* nach musikalischem Muster. In der kirchlichen Kunst haben wir ein solches (Gotik) und das Volk folgte willig; aber natürlich war die Kunst auch sehr sinnlich und mystisch aufregend, – *man trifft nie ganz Tolstoi's Linie*, – das muß an Tolstoi's Gedanken liegen, nicht an uns.

Die Antwort auf Seite 13 unten ist auch nur halb, denn es ist nicht richtig, daß es uns auf die »Begeisterung eines kleinen Kreises« ankommt, weder Monet, Seurat, van Gogh noch Kandinsky, Klee und ich wollen nur diesen kleinen Kreis, sondern wir *wollen* Wahrheit: Unser *moralisches Wollen ist rein*, aber vielleicht ist unser Weg falsch.

⟨Seite 38⟩

Hegels Idee von der Schönheit ist sehr fein; sie erscheint mir durchaus nicht besonders dunkel, sondern klarer als die Vorstellungen der meisten Anderen. Aber im Grunde finde ich, daß alle Ästhetiker viel mehr alle dasselbe sagen

als daß sie sich innerlich widersprechen. Sie wählten nur verschiedene Formeln – z.B. Helmholtz Seite 42! –, verschiedene Gesichtspunkte, je nach ihrer
zeitlich bedingten philosophischen Schulung u.s.w. Es wäre ebenso leicht, ihre
überraschende Gemeinsamkeit nachzuweisen als ihre schroffen Gegensätze
wie Tolstoi meint. Allen merkt man an, daß sie die Wärme mit der Elle messen
wollen, also ein Sache logisch definieren wollen, die nie in Worte und Wort-
logik eingehen kann. Aber immerhin deuten sie *alle* (d.h. mit unbedeutenden
Ausnahmen) nach einer großen Richtung; alle fühlen sie das Wahre so wie die
Religionen Gott fühlen; auch sie widersprechen sich alle und meinen doch
dasselbe.

Fein finde ich Seite 39 Ruge. Er ahnt, daß die produktiven Künstler irgend
einen Defekt haben und nach einem Ausgleich ihres kranken Wesens suchen, –
auch *Nietzsche's* Anschauung.

Schopenhauer spottet über Hegel, – von einem dritten Standpunkt stehen
sie sich so nahe!! Viele der vermeintlichen Gegensätze entstehen nur ⟨dadurch⟩,
daß der eine den Begriff Schönheit und Kunst enger oder weiter faßt, – jeder
hat auf seine Weise recht und diese verschiedenen Fassungen sind kein Einwand gegen die Sache selbst, die *alle* fühlen.

⟨Seite 47⟩
Gerade Definitionen wie die von Véron, die Tolstoi so vernünftig findet, erscheinen mir sehr unklar. Diese »Zusammenstellung« von Linien Formen etc, –
was heißt das: »Zusammenstellung«? und der »gewisse Rhythmus«? Wie
wenn ich ein Pferd definieren wollte und sage: eine Zusammenstellung von
Zellen nach einem gewissen Rhythmus, der ein Pferd ergibt. Diese Definition
ärgerte mich schon früher bei Kandinsky, der auch damit anfängt und alle
Kunstschreiber über unsre Bilder haben's ihm nachgemacht.

Damit ist *gar nichts Wesentliches* gesagt; abstrakte Formen entstehen ganz
anders!

⟨Seite 57.⟩
Tolstoi operiert mit vielen irrigen oder nur halbrichtigen Voraussetzungen,
z.B. daß die Ästhetik »reine Wissenschaft« sei und daß wir als *Wissenschaftler*
an die Untersuchung der »Schönheit« gegangen sind. Ruskin, Burckhardt,
Nietzsche, Rhode ⟨sic!⟩, Hegel und wie sie alle heißen, sind *Empiriker*, d.h. sie

gehen von ihrer *Erfahrung* aus, (– ihre logischen Deduktionen, deren sie sich bedient haben, sind wahrscheinlich so falsch und schief wie die von Tolstoi.) Seite 58 kommt er selbst zur Erkenntnis, daß es sich bei den Ästhetikern um einen *wandelbaren Kanon* handelt, aber statt dies anzuerkennen, verlangt er von ihnen etwas Unmögliches: eine wissenschaftliche einwandfreie Definition, was Kunst ist! Seine Sache wäre und ist: den *Kanon* anzufechten und zu berichtigen, (das ist auch die Grundidee seines Buches und das Wertvolle an seinen Gedanken) – aber wozu dann das endlos lange Gerede über die Ästhetik? Es könnte alles *soviel einfacher und wahrer* gesagt sein, aber immer wieder, auch im späteren Verlauf des Buches verirrt und verklauselt er sich in die Fallstricke logischer Schlüsse, die auf etwas Richtiges zielen, es aber nie umfassen können. Die Definition der Kunsttheorie Seite 59 unten ist so selbstverständlich richtig, daß er mit ihr ohne lange Rede gleich hätte beginnen können. Nur ist sie einseitig, denn neben dem *Gutheißen* hätte er auch das *Ablehnen* erwähnen müssen; eine rein *empirische* Geschmackstheorie – Geschmack im allerweitesten und ernsthaftesten Sinne genommen, wo Geschmack an Wille und Urinstinkt grenzt, – das ist Ästhetik.

⟨Seite 60⟩
Der Vergleich mit der physiologischen Ernährung verblüfft auch mehr wie jede Sophistik, ohne uns der Sache näher zu bringen. Der arge Fehlschluß liegt in dem Begriff »Genuß«, den er ganz ungerecht aus unsern Schönheitsgedanken ableitet. In der Ernährung ist es übrigens auch so: es ist gar nicht wahr, daß der Wilde sich vom Genuß leiten läßt und der Gebildete von der Nahrungsmitteluntersuchung. Beide suchen letztenendes nicht den Genuß (der ist Begleiterscheinung, Hilfsmittel des Naturinstinktes), sondern werden vom *Instinkt* geleitet, von einer inneren meist unbewußten Notwendigkeit. Der nordische Mensch ißt nicht Speck, weil er ihm schmeckt, sondern weil er ihn braucht (und deswegen schmeckt er ihm). Der Südländer braucht viel Flüssigkeit, darum schmecken ihm die Früchte. Der geistige Arbeiter und Stubenmensch verlangt nach viel Eiweiß und ißt darum unmäßig Fleisch. Er spannt seine Nerven übermäßig an und braucht Narkotikas. Unzähligemale wird die Notwendigkeit überschritten und eine perverse Gewohnheit daraus, – wie in der Kunst und dann muß man wie der ehrliche Tolstoi versuchen, die Grenze zu sehen und die seelischen und physiologischen Vorgänge im Menschen und seine vermeintlichen Bedürfnisse zu regenerieren und wieder dem wahren Instinkte seine Rechte zu geben. Das ist so einfach und es ist mir eigentlich unbe-

greiflich, wie Tolstoi die Sache sophistisch so verdrehen kann. Er verdirbt sich seine eigene schöne und gute Sache.

⟨Seite 65⟩
Das ist gar nicht wahr, daß »in all diesen Definitionen als der Zweck der Kunst der Genuß und nicht die *Aufgabe* im Leben des Menschen« angegeben ist. Es stimmt am ehesten auf die ganz *schlechten* Definitionen (die Tolstoi noch am ehesten gefallen und die er Seite 63 angibt!).

⟨Seite 69⟩
Die Definition ist sehr schön und wahr, aber das *Problem* ist damit nicht erschöpft, da sie nur die Thätigkeit, *Bethätigung* der Kunst kennzeichnet, nicht aber ihre geheimnisvollere Frage, *wie* so eine künstlerische Bethätigung möglich ist und worauf sie beruht. Jeder Künstler, der jemals etwas Künstlerisches aus sich hervorgebracht hat, weiß, daß mit dieser ehrlichen Definition, die so wahr ist, nicht alles gesagt ist. Daß ihre künstlerische Produktion *möglich* wurde, führen die einen (vor allem die Dichter und Musiker, aber auch die Maler) auf *Inspiration* zurück (Abfassung der Evangelien und Propheten-Gesänge!), andere reden von den »geheimen Gesetzen, denen sie nach einem innern Drang gehorchen«, – kurz: das ganze ästhetische, künstlerische Problem erhebt immer wieder sein Haupt. Tolstoi will es negieren, aber er *übersieht* es nur, indem er es gewaltsam vereinfacht. Er konstatiert nur, daß die Menschen »die Fähigkeit haben, durch Kunst angesteckt zu werden«, das merkwürdige daran, eben das *Problem* sieht er gar nicht.

⟨Seite 76, Zeile 3 hinter »Griechen«⟩
und italien. Renaissance

⟨Seite 80, letzter Absatz, erster Satz⟩
– eine Behauptung, die in ihrer Verallgemeinerung erst sehr nachgeprüft werden müßte. Ich glaube, Tolstoi thut hier denen, die dem kirchlichen Glauben durch ihre bessere Einsicht entfremdet wurden, sehr unrecht. Es erscheint mir sogar *heute* noch immer fraglich, ob wir recht thäten, dem europäischen Bauern seine alte heidnisch-christliche Kirche zu nehmen und blos mehr von der

christlichen Liebe zu predigen; ich kann aber auf das was nun folgt, – bis Seite 85, nicht in ein paar Worten antworten. Tolstoi wird in seiner geschichtlichen Darstellung wohl recht haben. Der durch und durch orientalische Jesus konnte eben das europäische Romanen- und Germanentum sich nie völlig angleichen. Die griechisch-römische Antike sowohl wie das germanische Blut zwang und verwandelte die Lehre Jesu nach ihrem Typus. Franz von Assisi, Pascal und andere große Sektierer blieben *ganz vereinzelte* Ausnahmen, die sich meist in die Klöster flüchteten! – Tolstoi erkennt ganz richtig, daß der Maßstab, mit dem man die Kunst mißt und wertet, von der jeweiligen herrschenden Gesamtstimmung (Religion) abhängt. Z.B. die italienische Hochrenaissance prachtliebend, Feier und Würde, zu der auch äußerer Reichtum gehört, Schönheitsliebe zu Frauen (Madonna!), Mächtigkeit des Typus (Michelangelo, Raffael). Als Gegenbeispiel deutsche Gotik. Die Renaissance verlor sich dann bald in's Barocke (Schwulst und Phrase); innre Spannung war nicht sehr groß, – die bürgerlich werdende Zeit konnte sie nicht halten. Da kamen aus dem Germanentum neue seelische Kräfte: Luther und die deutsche Musik und die Wissenschaft: ein ungeheures neues Leben, das das Christentum nur noch als Form mit sich führte; wir sind aus dieser Bewegung noch nicht heraus. Die dazugehörige *Kunst wird von dieser allgemeinen Bewegung, dieser völkischen Gesamtstimmung gewertet;* die Ästhetik hat ihren Teil daran. Es ist nicht wahr, daß sie nur den *Genuß* als Endzweck feiert (85).

⟨Seite 92⟩
Daß Baumgarten von den Griechen ausgehen mußte, ist ja selbstverständlich, Epigone der Renaissance. Aber die Griechen ein »halbwildes Völkchen von Sklavenbesitzern« zu nennen, ist einfach dumm. Mit Witzen kann man alles in der Welt umkehren. Es klingt nach einem Barfußchristentum, das mir eklig ist.

⟨Seite 95⟩
Die Betrachtungen über das *Wahre* sind auch so halb. Die Definition von Wahrheit deckt sich durchaus nicht mit dem, was die deutsche Sprache unter wahr versteht. Warum sollen wir nicht von wahren und unwahren Bildern sprechen, – Du sagst dafür rein und unrein, meinst aber dasselbe. Und die, welche im Wahren das Schöne, Reine und das Unschöne als unwahr bezeichnen, *meinen* auch das Gleiche. Tolstoi reißt ganz unnötig ein sprachliches Einver-

ständnis auseinander und macht dadurch alles unklarer und – unsittlicher als
es ist. Wenn die Kunst in die Irre gegangen ist, sind dafür ganz andere Gründe
verantwortlich als das Streben, in der Kunst das Schöne dem Wahren anzu-
gleichen. Diese Begriffe sind tatsächlich dasselbe; *das Unwahre ist das Böse, das
Äußerliche, Egoistische*, das »Falsche« in seiner ältesten biblischen Sprachbedeu-
tung. Es kann aber wohl sein, daß im Russischen diese Begriffe weiter ausein-
anderliegen, – dann müßte man solche Kapitel eben ganz anders verdeutschen.

⟨Seite 103⟩

Hier endlich kommt Tolstoi wieder auf festen Boden. Kein Mensch wird vor
allem 104/5 bestreiten. Nur ist halt vieles durch das Temperament Tolstoi's
gesehen, z. B. die Sache mit dem »Müßiggang« der gebildeten Klasse. Geistige Arbeit ist nicht nur nicht Müßiggang, sie wird auch nicht einmal von der
(Hand-)arbeitenden Klasse für Müßiggang gehalten. Der Bauer und Handwerker fühlt sogar Mitleid mit der ihm qualvoll erscheinenden geistigen Arbeit
des Gelehrten, des »Studierenden«, wie ein Bauer, der einmal hinter mir stand,
als ich im Lochhauser Moor einen »Sonnenuntergang« malte, und lange
schweigend zusah, mit den einzigen Worten wegging: »Oh mei, dös is a
schwermütigs Gschäft!« Es gibt gewiß Müßiggänger in den oberen Klassen,
edle (Siemssen) und unedle (Sport, Dandy), – aber gar soviel sind ihrer in
Deutschland gar nicht; in Rußland mag es ihrer mehr geben. Aber gleichviel:
Hier geht Tolstoi einem tiefen, urchristlichen Gedankengang nach. Mir erscheint Tolstoi's Ziel: die Vernichtung des Kapitals und der Wertunterschiede
und Klassen ziemlich utopi[sti]sch; gewissermaßen wie Ibsens »ideale Forderung« – darin liegt das Feine und in der Kunst dürfen wir sie nie aus dem Aug
verlieren. Der Schritt Tolstoi's, *aus der idealen Forderung eine reale Forderung* zu
machen, scheint mir das Verhängnisvolle seiner Ethik. Denn mit diesem Schritt
gerät der Geist in's Gegenständliche, in die Niederung des Volkstümlichen und
wir müssen alle unsre Heroen begraben. Dieser sonderbare Begriff: Müßiggang! Die größten Müßiggänger sind die Blumen, dann die Tiere, dann der
primitive Mensch, dann der Ackerbauer, dann der Europäer. Die schwerste
Arbeit leistet der geistige Europäer. Ich will Deinem Urteil über Marées nicht
ganz widersprechen, aber seine Arbeit, seine sittliche Kraftleistung erscheint
mir unbedingt wertvoll. Die Menschheit kann solche Arbeiter nicht missen,
sondern muß sie ehren. Ich glaube sogar: mancher Bauer und Arbeiter wird das
vor seinen Bildern fühlen. Geh einmal in die Pinakothek und sieh Dir sie an!

⟨Seite 106⟩

Dein Fragezeichen ist sehr richtig. Hier kennt sich Tolstoi in seinem Begriffs-
wirrwar selbst nicht mehr aus und kommt auf Schlußfolgerungen, die seinen
Forderungen selbst widersprechen, wenigstens der *Realisierung* seiner Forderungen. »Ein neues Gefühl in den Kreislauf des Lebens fügen«, – ja das wollen
und thun *wir* und halten an der idealen Forderung fest, daß das Gefühl ein
reines, reineres als die früheren ist und allgemeine Gültigkeit hat, – aber der
Bauer hat gar kein Bedürfnis, dies neue Gefühl sofort aufzunehmen; er will
gar nicht, daß seine Religion sich ändert, er kann sich's meist gar nicht vor-
stellen. Wir aber besorgen es in stiller und uneigennütziger Arbeit gegen seinen
Willen und ohne daß er es weiß. So fasse ich unsre künstlerische Forderung auf.
So faßte sie auch Manet, Renoir, Seurat, Marées, Cézanne, Derain und Picasso
und Delaunay, Kandinsky und ich auf, mit mehr oder weniger Glück und
Talent und Irrwegen. Das Übel sind die geschickten, profitgierigen oder
dumm-fanatischen *Mitläufer* und die blöde nachhumpelnde Kritik. Der blaue
Reiter hat auch viel gesündigt; ich bedaure unsre ganze Schreiberei und un-
klare Ausstellerei unendlich; aber ich fühle durch die moderne Kunst irgendwo
die reine Linie, den roten Faden des religiösen Bedürfnisses durch; wir müssen
uns nur viel mehr prüfen und mehr *Selbstzucht* üben als bisher. Daß wir für
Müßiggänger malen ist *unwahr*.

⟨Seite 116⟩

Über Mallarmé, Prosper Mérimée, Baudelaire, Gourmond (und z.B. die
Bandeaux d'or aus dem Kreise Lefauconniers), Prévôt u.s.w. denke ich genau
wie Tolstoi; äußerstes Ichtum und so schwächlich und dünnfädig und über-
elegant-sinnlich, daß es *darum unverständlich* und für jede reine Natur langweilig
und uninteressant ist. Genau dementsprechend und ebenso fad ist Knopff, der
Brüsseler Kreis. Aber genau so uninteressant ist auch ihr Gegenteil Meunier,
Egger-Lienz, Leehmpool. Das *Wesentliche* ist nicht, ob sich ein Werk formal
und gegenständlich an wenige oder viele richtet, also die soziale Seite und ihre
Nützlichkeit und mögliche Nutzbarmachung und Allgemeinverständlichkeit,
sondern gerade ihre *absolute Freiheit von dem allen*, die Stärke des *Weltgefühls* (das
nicht aus Mitleid, oder Trost oder Anfeuerung, Freude und Hingabe an den
Nächsten besteht, – dies alles sind nur Stücke, Teilgefühle, nicht das Entscheidende im künstlerischen Wirken), sondern das *visionäre Schauen*, das sich gar
nicht erklären und in soziale Formen, überhaupt nicht in Wort-Erklärungen
zwängen läßt. Bach ist das nächstliegende und erhabenste Beispiel; er war

wahrscheinlich ein guter Christ seiner Zeit, aber sein künstlerisches Weltgefühl und dessen Gestaltung ist Intuition, ist *innere Kraft*, wie Mallarmé's Weltgefühl *innere Schwäche* ist.

Nicht nur das *Ichtum* schließt künstlerische Reinheit aus, auch das *Nächstentum*,
die *Absicht* auf den Nächsten stört die innere Reinheit eines Wirkens. Wie frei
davon ist der Meister des Marienlebens! Das ist ganz *abgeklärt*. Gegen ihn
steckt in Bertram zu viel Absicht, – Du empfindest ihn ganz richtig. Hast Du
Dir einmal das frühitalienische Porträtwerk in der Pinakothek angesehen, von
dem ich Dir schrieb (Mann, Frau, Knabe und Falke)?

⟨Seite 118⟩

immer derselbe Fehler, den er den *wahren* Künstlern fälschlich unterschiebt. Es
genügt natürlich nicht, poetische Stimmung bei den best natured men hervor-
zurufen. Cézanne, Klee, Picasso, Kandinsky fällt es gar nicht ein, so etwas zu
beabsichtigen. Ich nenne mit Absicht auch Picasso. Vielleicht mache ich mir
ein falsches Bild von ihm; ich kann es aber nicht glauben. Seine Bilder sind voll
echter Liebe und Weltgefühl, dagegen Legér weit nicht so rein ist.

⟨Seite 141⟩

Es ist mir zu ermüdend, über das alles zu schreiben und immer wieder dasselbe
zu antworten. Nichts ist unwahrer als zu behaupten, daß das Volk stets die
Gleichnisse der Bibel, die Propheten etc. verstanden habe. Wenn irgendwo, so
liegt hier *Angewöhnung* zu Grunde. Die Menschen haben sich sogar an die ganz
unverständliche Offenbarung Johannis gewöhnt. Wo die Bibel über die volkstümliche Legende (Märchen und Volkslied) hinausgeht (Propheten, Hohelied,
Psalmen und vieles aus dem Evangelium Johannis), setzte jahrhundertlange
Auslegung ein, um das Volk nur einigermaßen und in sehr beschränktem, un-
vollkommenem Maße zu *irgend einem Verständnis* zu bringen. Man hat ihm
solange vorgelesen und vorgeredet, daß diese Gedichte hohe und wahre Be-
standteile des christlichen Weltwissens sind und zur Bibel gehören und die
Bibel »das Buch« ist, bis sie es glaubten und aßen wie tägliches Brot. Tolstoi
will (wie Seite 110 ersichtlich) nur reine Volkskunst als nützlich, notwendig
und wahr gelten lassen und die Welt sozial so vereinfachen, daß man damit
auskommt; aber er wird keine starke, edle ⟨,⟩ arbeitende Periode finden, in denen die Menschheit damit ausgekommen ist. Von David und Salomon über Jo-
hannes zu Dante, Bach und Beethoven führt eine Ahnenreihe, die heute nicht
aussterben wird und nie aussterben kann und soll.

⟨Seite 147⟩
Darin liegt des Pudels Kern. Um der 1000 Schlechten willen, über die er richtig
urteilt, verurteilt er die 3 Guten mit, – statt es umgekehrt zu machen! Die Beispiele, die er im Folgenden bringt, widerlegen ihn am besten; mit boshaft und
einseitig gewählten Beispielen läßt sich alles belegen. Er sollte einmal Daumier,
Cézanne, Flaubert, van Gogh hervorholen, – da würde er auf Granit beißen.

⟨Seite 157⟩
Hierin liegt viel Wahres. Aber die Volkskunst wirkt auch immer stark als
Augenkunst und auf die Nerven; z.B. die Anwendung des Goldes und die
Mystik des gotischen Baustiles und der bethörenden farbigen Innenwirkung.
Vieles in der modernen Kunst ist gewiß stark Augen- und Nervenkunst; man
muß eben unterscheiden, wo dies nur gute *Begleiterscheinung* (wie das Gold der
Alten) ist neben dem Wesentlichen: dem Lebensgefühl, oder wo es *nur* Augen-
kunst, Kitzel ist.

⟨Seite 164/65⟩
sehr fein!

⟨Seite 178⟩
ist *wunderschön;* könnte aber eher Kandinsky geschrieben haben als Tolstoi. In
der *Volkskunst* geht es jedenfalls *nicht* so genau her! Diese überraschende Seite
wirkt ganz unvermittelt und fremd in diesem Buche.

⟨Seite 183/184⟩
Die ganze Beweisführung scheint mir sehr erkünstelt und unglücklich. Sie wen-
det sich letzten Endes stark gegen die illustrative Kunst des Volkes; gerade
Volkskunst kennt die reinsten Verbindungen der Künste, Tanz mit Musik,
Musik mit Wort, Bild mit Legende u.s.w.

⟨Seite 202/203⟩
famos!

⟨Seite 212/213⟩
ist prachtvoll; ausgezeichnet Schluß 213; das Gefühl hab ich auch so oft.

Du schriebst in Deinem Bleistiftbrief über die Stelle 214/15. Das eine ist sicher: die *Absicht*, ein Bild zu malen ist ein ganz unkünstlerischer und unreiner Anlaß zum Schaffen. Dagegen gibt es keine Vorschrift oder Theorie, wie man mit seinem Weltgefühl die seltsame Schwelle der Kunst zu überschreiten hat. Der Eine stützt sich auf direkte Erlebnisse, die ihm keine Ruhe lassen, bis er sie in irgend einer Gestaltung los wird, – er trägt sie meist lang herum wie eine Schwangere. Der Andere beginnt aus einem ihm selbst rätselhaften Drang zu arbeiten und bringt Werke hervor, die ihm ebenso Gottesgeschenke scheinen wie mancher Mutter ihr Kind. Der Drang ist grob dem Hunger vergleichbar, – man sucht Nahrung und ißt, aber man steht nicht mit der Absicht auf: ich will heute essen. Man ißt eben, wenn der Instinkt des Hungers einen treibt, – sonst denkt man kaum an's Essen, – so arbeite ich wenigstens oft.

Tolstoi behält aber ganz Recht in dem was er sagt. Die Absicht verstimmt immer und ist immer Unkunst.

⟨Seite 276 oben⟩
Das ist so schön gesagt und trifft alles im Kern, ohne daß man den Absatz: »Kaum aber ... « ganz hinzunehmen muß; er enthält die Trugschlüsse und Fehlgriffe, die das ganze Buch erfüllen. Tief und wahr ist dann Seite 277; man kann nicht leicht etwas Zwingenderes lesen als diesen Vergleich.

Im Späteren 280 – 83 verliert er sich sehr in seine Volkskunst-Ideen. 283 Ende ist so falsch! Was ihm vorschwebt (z. B. Hans Sachs vielleicht) war einmal möglich und wird vielleicht wieder möglich werden, aber die Menschheit hat sich *nie* mit dieser Produktion allein begnügt, sowie auch der sociale Staat Tolstoi's eine langweilige Utopie ist. Tolstoi scheint keine Ahnung vom *Menschen* zu haben. Darüber werden wir noch viel reden. Mir fällt übrigens da ein Unsinn ein, den Wolfskehl in Deinem Briefe sagt: Shakespeares Dramen seien Gelegenheitsarbeiten. Bitte, lies Shakespeare!! Wenn äußere Anlässe bei seiner Produktion mitspielten, – ja warum das nicht? Aber das sagt doch gar nichts und ist doch nicht das *Wesentliche* seines Schaffens! Bach hatte auch äußere kirchliche Anlässe, – wer denkt heute daran? Beim Schaffen mag er sie oft schön vergessen haben! Beethoven und Michelangelo auch und jeder Geringere ebenso. Wie man nur so mutwillig Dinge beim falschen Namen nennen mag! Ein äußerer Anlaß gibt eben dem Schaffenden »den äußeren Anlaß« (der immer und überall im Leben seine thätige Rolle spielt, z. B. auch zur

Bildung des Charakters!), seinen Gefühlen [Luft zu machen] durch Werke Ausdruck zu verleihen. Selbst in der Volkskunst ist es genau das Gleiche. Aber Kunst und Charakter werden nicht von den zufälligen äußeren Anlässen bestimmt. Hätte dieser Anlaß gefehlt, hätte eben der Künstler irgend einen andern Anlaß ergriffen. Schon der Stoff in den Werken ist äußerer Anlaß. Michelangelo ging zwischen den Marmorblöcken umher und suchte seine Form. Insofern ist *jedes* Werk Gelegenheitswerk, aber die Wurzel und die Triebkraft steckt *nie* in der Gelegenheit oder Absicht.

⟨Seite 294/95⟩
Die ganze Ungerechtigkeit Tolstoischer Kritik spricht allzu deutlich aus diesen Zeilen über die Wissenschaft. Er hat keine Ahnung was exakte Forschung und exakte deutsche Wissenschaft ist.

298/99 berühre ich sehr ähnlich in meinen Aphorismen. Die *Anwendung* der Wissenschaft, also ihr Zweckdasein ist kein Fortschritt, sondern nur eine Kräfteverschiebung. Aber die Forderung an die Wissenschaft auf Seite 300 leugne ich gänzlich. Sie interessiert mich überhaupt nicht.

(35)

Die 100 Aphorismen
Das zweite Gesicht.

»Und Seligkeit muß es Euch dünken,
Eure Hand auf Jahrtausende zu drücken
wie auf Wachs«

Nietzsche.

1.

Der Begriff der Relativität der Dinge ist ein durchaus sekundärer Gedanke und als Philosophie eine Irrlehre, die nur ermüdete Geister ersinnen konnten, um dem Versagen ihres Urteils den Schein von Witz zu geben.

Jedes Ding hat seinen Mantel und Kern, Schein und Wesen, Maske und Wahrheit. Daß wir nur den Mantel umtasten ohne zum Kern zu gelangen, daß wir im Scheine leben, statt das Wesen der Dinge zu sehen, daß uns die Maske der Dinge so blendet, daß wir die Wahrheit nicht finden können, – was besagt das gegen die innere Bestimmtheit der Dinge?

2.

Silesius sagt:
»Mensch, werde wesentlich; denn wenn die Welt vergeht,
So fällt der Zufall weg, das Wesen das besteht.«
Je grausamer und toller der Zufall, der ›Vorfall‹ war, desto größer aber auch heimlicher ist das Wesen, das sich hinter ihm verbirgt. Die Natur spielt nicht ohne großen Gegenstand Theater.

3.

Warum sich die einfachste Wahrheit stets hinter vielfältigem Schein verbirgt?

Warum bedarf es einer großen Liebeskomödie, um ein schönes Kind zu gebären?

Warum? Warum?!

Dieses arrogante, pessimistische Warum ist keine ehrliche Frage, sondern ein Ausweichen vor den Wahrheiten, wo sie dingfest und dringlich werden, in den Zeiten der Wende, in denen das Alte erkrankt und pessimistisch wird.

4.

J. J. Rousseau's Zeit war eine solche Wende. Dieser Prophet sah den Geist der Dinge und lüftete zum erstenmal den Vorhang, der Europa die Wahrheit so lange verbarg; er zeigte die gefährlichen Klippen, denen das europäische Kulturschiff zusteuerte. Seit seinem denkwürdigen Auftreten blieb die Angst in Europa wach. Die französische Revolution war der erste Ausbruchsversuch des erschreckten Europäers, das verfrühte Unternehmen einer gewaltsamen Kursänderung. Zu viele plumpe Hände hatten die Wahrheit zwischen die Finger bekommen. Sie entschwand unter dem Lärm des napoleonischen Theaters.

5.

Auch der geniale Fluchtversuch der Deutschen in die Musik brachte nicht die Befreiung.

Die Musik blieb unsre platonische Liebe zur Wahrheit, zum Absoluten. Nichts konnten wir mit ihr erfassen und zu uns niederzwingen. Sie ging wie sie gekommen war, ein deutscher Traum der absoluten Formen, der einer europäischen Wirklichkeit um zwei Jahrhunderte voraus erschienen ist. Das unsägliche Glücks- und Zukunftsgefühl der deutschen Musiker können nur Deutsche ermessen. Dieses grünschimmernden glücklichen Traumes einer absoluten Formenwelt werden noch späte Jahrhunderte mit Rührung gedenken. Doch der wahre Kampf um das neue Europa und die neue Form wird auf einer anderen Walstatt gekämpft. Nicht in Träumen.

6.

Lange, allzulange suchte sich der Europäer diesem Kampfe um die neue Lebensform zu entziehen. Man lief alle kleinen Wege, man versuchte alle kleinen Mittel und Rettungen. Tradition und Reform hießen die meistbeschrieenen Lösungen. Unter Tradition verstand man alte Kulturwerte so durch die Länge der Jahrhunderte zu strecken, bis wirklich nichts mehr da war und die Impotenz in ihrer armseligen Nacktheit dastand. Die Reform aber war eine Verlegenheitsaktion, deren Unzulänglichkeit ein offenes Geheimnis war. »Man flickt nicht ein altes Kleid mit einem neuen Lappen; es reißt wieder und der Riß wird ärger als zuvor.« Dies ehrwürdige alte Gleichnis steht unerbittlich über den eifrigen Thaten der Reformler der letzten Jahrzehnte. Der große Krieg hat dem hoffnungslosen Treiben ein rasches Ende bereitet und fuhr als deus ex machina reinigend über die europäische Bühne; wenigstens könnte man endlich erwarten, daß an die Stelle der Reform die *Form* selber tritt.

7.

Die unzulänglichen Heilungsversuche beweisen nur, daß der Europäer sein Leiden (eine Stoffwechselerkrankung) nicht erkannt hat.

Seine wunderbaren Wissenschaften, sein ›Fortschritt‹ erfolgten stets au détriment d'un talent. Sie verlegten in jedem Falle eine ursprüngliche, ihm selbst innewohnende Fähigkeit nach außen, in die Formeln, Bücher, Apparate und Maschinen. Diese Verarmung des Menschen durch seine Mittel, die ihm nicht seine Arbeit aber seine intuitiven Fähigkeiten abnahmen, das ist das Problem der europäischen Erkrankung. (In das Krankheitsbild gehört auch unsre Bewunderung der Wilden und unsre neue, neueste Ehrfurcht vor den Tieren).

Daß unsre intuitiven Fähigkeiten sich langsam in Formel und Wissen verwandeln, bedeutet letzten Endes natürlich keine Krankheit, die doch nur eine Begleiterscheinung ist, sondern eine *ungeheure Kräfteverschiebung, die den europäischen Typus ausmacht.*

8.

Die Kunst zeigt dasselbe Krankheitsbild. Ihr Verfall ist erschreckend, aber auch sie wird nicht an der Maschine sterben. Gewiß können unsre Maschinen keine Handarbeit, die wir verlernt haben, kein Rokoko hervorbringen. Aber hätten wir heute schon die Zeit und die Gesundheit, um Kunstgedanken zu hegen, so bauten wir zu ihrer Ausführung spielend die nötigen und kühnsten Maschinen. Aber die Arbeitsbiene des 19. Jahrhunderts hatte keine Zeit für Kunst.

Letzten Endes haben die tollen Kriegsvorbereitungen den katastrophalen Zusammenbruch des Kunstwollens herbeigeführt. Jeder fühlte das große Ereignis vor sich. Alles glühte im Eifer der Vorbereitung. Alle Völker rüsteten und arbeiteten die Idee dieses Krieges bis in's Kleinste aus. In endlosen Verhandlungen verteilte man die Rollen, bis endlich das blutige Spiel begann.

Für Kunstwollen war kein Raum.

Kunst wurde bestenfalls zum Kitzel für überanstrengte Nerven, zum Zweckding und gleichgültigen Spielzeug in müden Stunden.

9.

Vom ersten Moment des Kriegsausbruches an war mein ganzes Sinnen darauf gerichtet, den Geist der Stunde aus ihrem tosenden Lärm zu lösen. Ich verstopfte mein Ohr und suchte dem Kriegsgespenst in den Rücken zu sehen. Alle Zeichen des Krieges stritten wider mich. Sein Gesicht blendete mich, wohin ich mich wandte. Der Denker meidet das Gesicht der Dinge, da sie niemals das sind, was sie scheinen. Ich zweifelte nie, daß die Europäer durch diesen Krieg nicht das erreichen, was sie wollen und sagen. Sie wollten ihn ja nicht einmal, wie sie alle beteuern! Aber ein geheimes, ihrem Wissen und Willen fremdes Wollen rauschte in ihrem Blute und brach aus ›wider Willen‹.

Niemals wurde es deutlicher als hier, daß das, was wir unser Wollen nennen, nur ein Vordergrundsspiel ist und die Vorwände unsres Handelns wirklich nur Vor-wände, Kulissen sind. Dahinter, darunter murmelt der ruhelose mahnende Vatergeist Hamlets, der Schicksalswille, den nur die sehen, die das zweite Gesicht haben.

10.

Ganz große Thaten entstehen immer unbewußt, unter kleinen Vorwänden. Der Mensch ist nicht Gott genug Geschichte zu wollen. Aber er macht sie.

11.

Unbeirrt von Scenerie und politischer Regie dieses tollen Kriegsschauspieles müssen unsre Gedanken zu seinem letzten tiefsten Sinn dringen.

Zweifelt man, daß es einen solchen gibt?

Die letzte Tiefe, die wir sehen, ist freilich immer nur die ›letzte, die wir sehen‹, aber immer doch tiefer als die erste, die nächst-beste, die politische.

Man glaubt vielleicht in meinem Mißtrauen gegen die politische ›staatserhaltende‹ Logik dieses Krieges eine sophistische Verschiebung des großen Thatsachenbestandes sehen zu dürfen. Ich hoffe doch, einige Deutsche zum Ernst meiner Gedanken zu bekehren. Nichts freilich fürchtet der Mensch so sehr als in der strahlenden Beleuchtung von Gedanken zu stehen. Er liebt die Komödie und den Schein und den dicken warmen Atem des Alltags. Aber immer gab es doch auch Männer, die andres dachten und nach dem Grund der Dinge tasteten.

12.

Die Weltgeschichte ist immer Naturgeschichte, ein physiologischer Wandel mit allen charakteristischen Umwegen, Reaktionen, Überholungen, Stillständen und Krisen, die unser trübes Auge nur im Gleichnis, in der Fabel zu übersehen vermag und denen wir unsern kleinen, eifersüchtigen, herrschsüchtigen Menschenwillen anpassen, – das nennen wir ›regieren‹.

13.

Welche verwirrende Ironie, daß unsre Sprache den Begriff ›natürlich‹ von Natur ableitet! Die Natur ist niemals natürlich, gerade und einfach. Sie erreicht alles auf Umwegen, Schleichwegen; unter den unglaubhaftesten Kraftvergeudungen; dabei spielt sie immer Theater, um ihr wahres Thun und Reifen zu verheimlichen. Die Linke soll nicht wissen was die Rechte thut. Fragt die Naturforscher, fragt die Historiker, aber nicht die lebenden und toten, sondern die kommenden.

14.

Man wird die Wesensgleichheit von Welt- und Naturgeschichte eines Tages ebenso sicher beweisen, wie man die Einheit von Physik und Psyche in dem Sinne erkennen wird, daß die Physik in der Psyche restlos aufgeht, – nicht umgekehrt, wie es der grobe Fehler des Materialismus lehren wollte.

15.

Die Weltgeschichte hat ihre immanenten, vor dem Menschenauge sorglich verheimlichten Gesetze, die erst der prometheische Mensch des 19. und 20. Jahrhunderts zu enträtseln begann, als er mit seiner ehernen Wissenschaft von den Gesetzen der Natur auf ihren Schleichwegen folgte.

Unser Wissen verfing sich am ersten in den Dingen, die unsrer Menschlichkeit am fernsten lagen: man begann mit den Sternen und Zahlen, um heute endlich die Wissensformel gegen den Menschen selbst zu kehren.

Alles, das Größte ist heute in den Anfängen.

Die Weltgeschichte, unsre eigenste Geschichte ist uns immer noch – im Gegensatz zu unserm Leben in der Materie – ein rätselvolles Werden, das wir in einer Art Dämmerzustand erleben. Nur in den seltenen, prophetischen Stunden des wachen Bewußtseins werden wir gewahr, daß wir ausgezeichnete Handlanger großer Gesetze sind, glänzende Schauspieler und Priester eines geheimen, schwer erforschlichen Willens. Wir decken das wahre Sein mit unsrem Spiel, mit unsrer ›Person‹; wir gründen Staaten, treiben Politik; erfinden Religionen; wir zetteln blutige Kriege an und fühlen am Ende, an den äußersten Enden, weit hinter und über diesem Leben den stummen Willen des wahren Seins; und müssen doch davon schweigen, um die Kurve der Entwicklung nicht zu splittern. (Siehe die plumpen Nihilisten, die das nicht verstehen und zur Unzeit reden!).

Die Edlen und Treuesten lenken die ungebärdige Menge von der Wiege des zartesten Welteies ab.

16.

Warum wir heute reden wollen und das hehre Schweigegelübde brechen?

Weil jedes Schweigen seine Zeit und auch sein Ende hat. In allen reifen Zeiten, von vielen guten Geistern wurde es gebrochen. Als Jesus seine Stimme erhob, war eine solche Stunde und ein solches Ende da. Und noch einmal zu Luthers Zeiten. Und zum drittenmal, als unter J.J. Rousseau's Reden der uraltmenschliche Flagellantengeist wiedererwachte und die Selbstgeißelung des zarten Kulturvolkes jener Zeit einsetzte, die große französische Revolution. Ihr folgte freilich das schmerzlichste Mißverständnis der neueren Geschichte: Napoleon. Die Ehrsucht eines Einzelnen verdarb alles, jedenfalls das Beste: den Opfergedanken der Revolution.

Die Gefahr ist groß, daß er auch heute unerkannt bleibt. Das Schicksal Europas schwankt auf eines Messers Schneide. Es gibt nur ein Gebot: Daß Europa jetzt die Männer erstehen, die Genie und Kraft genug haben, den Bann der öffentlichen höchsten Meinung zu brechen, die Propheten und großen Unzeitgemäßen, die den Vorhang des Welttheaters lüften, daß der reife, alte Europäer der Kulisse gewahr wird und entsetzt zurückprallt vor der Leere seiner Lebensbühne.

17.

Es gibt Zeiten, in denen das Schweigen feige und verbrecherisch ist. Der Mut zur stolzen Unzeitgemäßheit ist das Zeichen der wahren Propheten.

Und es gibt Zeiten, in denen das vorlaute Reden ein Verbrechen ist. Die Geschwätzigkeit vor der Menge ist das Merkmal der falschen Propheten; Beispiele: Die Christian Science in Amerika und der deutsche Monismus, der nichts thut als ›aus der Schule schwätzen‹.

18.

Seit Jahrhunderten kreist der Gedanke, die Gotik und den Orient, diese zwei größten neueren *Kulturgebilde* durch eine neueuropäische Kultur abzulösen. Die deutsche Musik, das episodenhafte Rokoko, Kant, die Romantik, der Naturalismus sind Bereiter und Etappen dieses Gedankens. Niemals aber kam bis heute der europäische Gedanke zu einer reinen, dauernden Form. Das große Problem blieb Stückwerk und verdorrte jedesmal in schnellem Verfall am Wege. Die heroischsten und geistvollsten Versuche scheiterten, da das Fundament fehlte.

Erst dem späten 19. Jahrhundert gelang eine Fundamentierung, die obschon unfertig eine bisher unerreichte Festigkeit und Tiefe besitzt, das Fundament unsrer wissenschaftlichen Erkenntnis, das wir unter den Thron der alten Götter und Gewalten geschoben haben, die unser Arm nun hebt wie einen Ball. Dies exakte Wissen, die Ablösung der Dinge von ihrem Schein, von der ›Fabel‹ war in allen früheren Versuchen und Kulturen Europas nur ein Nebensinn, ein Teilsinn einiger Geister, nie das feste Fundament ihrer Kulturen. Sie bauten auf den fliegenden Schutt vergangener Zeiten und versanken immer wieder schweigend in ihm.

19.

Wie viel reine und keusche Geister mag es unter den wissenschaftlichen Forschern geben, die ihr Ziel nicht in den ›angewandten‹ Wissenschaften sehen?

Es ist vielleicht gut, es zuweilen auszusprechen, daß die angewandte Wissenschaft sich zur reinen Forschung verhält wie das Laster zur Keuschheit. Die Gleichung ist hart und wahr. Man vergesse nicht: auch das Laster hat schöne und kühne Kräfte; aber das Laster ist immer Gegenwart, Kompensation, Ausgleichsenergie. Nur die Keuschheit hat Zukunft. Virgo parens rerum.

Utilitarismus und Wissenschaft sind nicht einmal polare Gegensätze, sondern die nützliche Verwendung der Wissenschaft ist ihr Mißbrauch.

20.

Die Keuschheit der Wissenschaft birgt und gebirt den europäischen Gedanken, das Weltgeheimnis unsrer Zeit. Was die Welt bisher nur in der Fabel, in der Paraphrase und im Wunder deutete, das wird morgen unsre Erkenntnisform sein. Der kommende Europäer wird unabhängig vom Weltbild, vom schönen und schrecklichen Schein, im zweiten Gesicht leben. Ihm fallen, wie Luther sagt, die Schuppen von den Augen. Jedes Ding, voraus das, was wir die Materie, die Form, auch in der Kunst nannten, das ›Weltbild‹ wird ausgewischt und neu gezeichnet von unserm Wissen, von unserm zweiten Gesicht.

Das ist das Geheimnis der exakten Wissenschaften.

21.

Vielleicht ist es auch gut, daß die reine Lehre der Wissenschaft heute eine so utilitaristische und unkeusche Behandlung findet; denn die Kräfte, die sich ihr weihen und ahnungslos ihrem fernen Ziele dienen, mehren sich damit tausendfach. Die Natur ist so erfinderisch in jesuitischen Vorwänden und Umwegen, um ihr großes Ziel zu erreichen. Und oft sind ihre Mittel auch fruchtbar und erstaunlich der fatalistische Gehorsam der Menschen.

Was weiß der Europäer von dem Sinn des entsetzlichen Krieges, in den er sich gestürzt und den er jahrelang vorbereitet hat?

Wenig. Die meisten nichts.

In welche schwache Vorwände verfing er sich da nicht! Ließ er sich nicht sagen, daß der Krieg für ihn eine Magenfrage sei? – wirklich, man entblödete sich nicht es zu thun, auf beiden Seiten. Die Magen – und Platzfrage mußte genügen, nachdem die sonst so wirksame Rassenfrage zufällig nicht anwendbar war.

Eine kleinere Gruppe Einsichtiger und Vorfühlender sah mit voller Bestimmtheit die Unvermeidlichkeit des Krieges. Aber ihr Geist besaß nicht Spannung genug, nach den Gründen seines geheimnisvollen Kommens zu fragen. Man sprach von ihm, wie der Kranke von der bevorstehenden Operation spricht. Sie lag in Gottes, der Ärzte und Minister Ratschluß. Man bereitete sich so gut es ging darauf vor. Man legte keinen besonderen Wert auf die Formalitäten; die nächstbesten genügten, ein politischer Mord, ein paar Grenzärgernisse. Deutschland schien zu zögern; die anderen wollten lieber jetzt als später. Jedem aber war es schließlich recht, da jeder das Unvermeidliche sah und das lähmende Gefühl vor dem großen Blutgang los sein wollte. Die Tagespresse übernahm die seelsorgerische Ermutigung und Tröstung, hüben und drüben. In Deutschland gelang sie vortrefflich, denn Deutschland hatte von vornherein die Trümpfe der Zukunft in der Hand. Deutschland war der aktive Teil und hatte eine Aufgabe. Die anderen waren die Leidenden, die dem großen Schicksal gehorchen mußten. Welche Ironie des Schicksals, daß gerade sie den Ausbruch des Krieges zu beschleunigen suchten und sich vollzählig dazu drängten. Das alte amor fati hat sie getrieben. Die Deutschen konnten warten; vielleicht fühlten sie auch ein leises Bangen, – nicht vor dem Kriege, *aber vor der schweren Aufgabe nach dem Kriege.*

22.

Wir ehren unsre Gegner.

Nach dem großen europäischen Duell werden die Beleidigungen gelöscht sein. Sie gehörten zur Wildheit des Krieges und reichen nicht über ihre Zeit hinaus.

Aber die Eckensteher des europäischen Dramas haben nicht unsre Achtung und werden keinen Gewinn von ihrer Ruhe haben. Sie gaben ihren Leib nicht der Läuterung des Krieges preis; ihr Gemüt brannte nicht im Fegefeuer des Krieges; denn das ist der Krieg: das Fegefeuer des alten, altgewordenen, sündigen Europas. Nicht nur alle alten Sünden fanden ihre Buße in diesem Krieg. Auch *alle unreinen Motive, die mit in diesen Krieg gezogen sind, werden gerade durch ihn zu Grunde gehn und fallen allenthalben unter sein Srafgericht.* Darauf müssen wir

bauen; denn sonst zerbricht alles; Europa wäre am Ende, an seinem unrühm-
lichsten, unwahrscheinlichsten Ende.

23.

Es ist immer noch besser mit aller Glut auf eine regenerative Wirkung des Krieges zu bauen als in den Unkenruf der Pessimisten, der Ideenarmen und Müden
einzustimmen; denn auch nur wir allein, unser heller Wille bestimmt das weiße
Schicksal.

24.

Wie der Schein der Dinge uns trügt, so trügen auch die Worte. Wer aus Worten
Erkenntnis schöpfen will, darf nicht auf ihnen sitzen, sondern muß zwischen
ihnen, hinter ihnen nach der Wahrheit tasten; denn auch Worte sind Vorder-
grundsbilder und stehen im Alltagsscheine.

Auch hierin gilt unser Grundgedanke: Die hundert Stufen der Erkenntnis,
des Durchschauens, Eindringens in den Sinn der Dinge. Die Wissenschaft hob
uns auf die zweite Stufe der Erkenntnis und *alles wird ihr folgen*. Die Kunst wird
das zweite Gesicht der Dinge, die Dichtung den zweiten Klang der Worte
hören und das Denken den zweiten Sinn der Geschehnisse erkennen.

25.

Wir werden im XX. Jahrhundert zwischen fremden Gesichtern, neuen Bildern
und unerhörten Klängen leben.

Viele, die die innere Glut nicht haben, werden frieren und nichts fühlen als
eine Kühle und in die Ruinen ihrer Erinnerungen flüchten. Wehe den Demagogen, die sie daraus hervorzerren wollen. Alles hat seine Zeit und die Welt hat
Zeit.

26.

Nietzsche hat seine gewaltige Mine gelegt, den Gedanken vom Willen zur
Macht. Sie zündete furchtbar im großen Kriege. Mit seinem Ende wird auch
die Spannung jenes Gedankens ihr Ende haben. Jeder Gedanke hat nur seine
bestimmte Weite und Spannkraft; aber wie jede Kraft verwandelt er sich nach
dem Gesetze der Energien in eine neue. *Aus dem Willen zur Macht wird der Wille
zur Form entspringen.*

27.

Die Zweiheit von Goethe und Kant stellt sich mir immer als Januskopf dar,
Goethe hat (als Dichter und Gelehrter) das Gesicht rückwärts gewendet, in's

18. Jahrhundert. Er sah das neue Jahrhundert nicht, das 19. Jahrhundert, wie wir es verstehen und lieben als Treppe und Aufgang zum 20. Kant blickt weit voraus, über das 19. Jahrhundert hinweg in die neue Zeit.

28.

Nach dem mythischen großen Kant haben wir einen einzigen Stützpunkt, eine grüne Insel dieser Vorzeit unsrer Epoche, das Werk dessen, der mit dem Hammer philosophiert. Er brach die Brücken einer wohligen Zeit hinter uns und warf uns an den kalten, harten Strand einer neuen Zeit. Viele haben ihm darob geflucht. Wir Jüngeren aber, wir Krieger danken ihm alles, unsre Aufgabe, unsre Begeisterung, unsre Freiheit zum Handeln. Der Krieg, diese »erhabene Feier des Philosophen«, hat uns für immer den Boden unsrer Väter unter den Füßen weggerissen. Wir taumeln auf dem Nichts. Nun müssen wir schaffen, die Welt füllen, um leben zu können. Wir fühlen uns nüchtern und taumelig, ich glaube vor Hunger.

29.

Unsre heiße Hoffnung zielt dahin, daß die Wärmeenergie des kriegerischen Willens zur Macht sich nach dem Kriege nicht in eine latente Wärme abwandelt, sondern von starken Geistern in die neuen Schwingungswellen des Willens zur Form geleitet wird.

Daß der Wille zur Form unsre Definition für Kunst ist, brauche ich wohl kaum zu sagen. Kunst ist niemals etwas anderes als Wille zur Form.

Aber etwas anderes ist nötiger zu sagen: Kunst als Wille zur Form ist nur ganz selten da; nur dann, wenn eine neue Zeit reif ist, geformt zu werden. Form zu werden.

30.

Kunst ist nur selten da. In den langen Pausen der Geschichte, in denen die Kunst frei ist, nennt man Anderes, Ähnliches, ach sehr Unähnliches, Unmögliches Kunst. Vielleicht will es ein kleines Bedürfnis so. Aber wo ein Bedürfnis, eine Nützlichkeit nach Kunst schreit, haben wir schon keine Kunst mehr, keinen Willen zur Form mehr.

31.

Tradition verhält sich zur Kunst, wie das Werk zu seinem Schöpfer. Das Werk legt Zeugnis vom Geiste seines Schöpfers ab.

Traditionen sind eine schöne Sache; aber nur das Traditionen-schaffen, nicht: von Traditionen leben.

32.

Jeder Formbildner und Ordner des Lebens sucht das gute Fundament, den Fels, auf dem er bauen kann. Dies Fundament fand er nur äußerst selten in der Tradition; sie hat sich meist als trügerisch und nie als sehr dauerhaft erwiesen. Die großen Gestalter suchen ihre Formen nicht im Nebel der Vergangenheit, sondern loten nach dem wirklichen, tiefsten Schwerpunkt ihrer Zeit. Nur über ihm kann er seine Formen aufrichten.

Das dunkle Wort Wahrheit erweckt in mir immer die physikalische Vorstellung des Schwerpunktes. Die Wahrheit bewegt sich stets, wandelbar wie der Schwerpunkt; sie ist immer irgendwo, nur niemals auf der Oberfläche, niemals im Vordergrund.

Wahrheit ist auch nie Erfüllung, Realität, künstlerische Gestalt, sondern das Primäre, der Gedanke, religionsgeschichtlich ausgedrückt: das ›Wissen um das Heil‹, das stets der Gestalt, d.i. der Kunst und der ›Kultur‹ vorausgeht.

33.

»Im Anfang war das Wort«.

Vor der Form war immer der Gedanke. Ehe die Gotik Form wurde, wirkte schon als Wahrheit, als heiliges Wissen ihr glühender Gedanke, die Hierarchie der Heiligen, die in dem tiefsinnigen Gedanken des gotischen Pfeilerdoms ihre höchste Formel und Form erhielt.

34.

Der Europäer geht heute noch taub und blind über sein neues Land. Seine Füße sind stumpf, daß er den Fels, auf dem er steht, die Wahrheit unter ihm, den Schwerpunkt seiner Zeit nicht fühlt. Er glaubt immer noch im grundlosen Schutt und Sand der Vergangenheit zu stehen und spielt und wühlt in ihm wie ein Kind, – das ist der Europäer, der stahlharte, weitäugige, weltwissende Europäer mit bettelarmem, dürstendem Herzen, der neue Gotiker ohne Dom und Bibel, ohne Bild und Gestalt, *der europäische Gedanke ohne Form.*

35.

Der Tag wird nicht mehr ferne sein, an dem den Europäer, – die wenigen Europäer, die es erst geben wird – der große Schmerz seiner Gestaltlosigkeit überfallen wird. Dann werden diese Gepeinigten ihre Arme recken und Formsucher sein. Sie werden die neue Form nicht in der Vergangenheit suchen, auch nicht im Außen, in der stilisierten Façade der Natur, sondern die Form von innen heraus bauen nach ihrem neuen Wissen, das die alte Weltfabel in Weltformel, die alte Welt*an*schauung in Welt*durch*schauung verwandelt hat.

Die kommende Kunst wird die Formwerdung unserer wissenschaftlichen Überzeugung sein; sie ist unsre Religion, unser Schwerpunkt, unsre Wahrheit. Sie ist tief und schwer genug, um die größte Formgestaltung, Formumgestaltung zu bringen, die die Welt erlebt hat.

36.

Kann uns Menschen von heute die Vergangenheit etwas anderes sein als eben nur Vergangenheit, tempi passati? Die Brücke der schönen Tradition ist eingestürzt. Zwischen dem heutigen Europa, auf das wir deuten und das unser Europa ist, und dem Europa Hölderlins und Beethovens liegt der große Abstieg, das Interregnum der Unform. Die Kunstöde des 19. Jahrhunderts war unsre Kinderstube. Was nach kam in den ›Künsten‹ war das, was man im Notfalle, im Vergnügungsfalle brauchte, Blößenbedecken, Zeitvertreib oder Verlegenheitsformen wie der Naturalismus, eine Endform, die nie elementerein war, nie reiner Wille zur Form war.

37.

In der Malerei dauerte dies Interregnum, bis der ehrwürdige Cézanne kam und mit zitternden Händen das Leere umtastete. Er als erster ahnte und wollte wieder Form und umtastete sie in lebenslangem Traum; ein Moses der neuen Zeit, der das gelobte Land nicht betreten durfte. (Marées Kunst war nach rückwärts orientiert, darum kann sie uns nie lebendig werden.)

Über Cézannes heimlicher Arbeit wurde der Wille frei.

38.

Wir stehen in einer viel zu erregten Zeit, wir selbst sind zu erregt, um die Bedeutung der Werke messen zu können, die die Pioniere der neuen Zeit bis heute geleistet haben. Wir suchen nur die feine Grenze zwischen dem Gestern und Morgen. Sie ist kein gerader Strich, wie ihn die Handlanger der Moderne mit skrupelloser Hurtigkeit ziehen wollen, um ihre Jenseitigkeit zu zeigen, – wahrscheinlich, um sie nicht zu verpassen, da sie die einzige Stütze ihrer leidigen Gegenwart bildet.

Die Linie und Grenze, die wir sehen, schlingt sich in geheimnisvollen Kurven vielfach weit zurück in Vergangen- und Vergessenheit und noch weiter vor in Fernen, die unserm trüben Auge entrückt sind.

Gerade die neuen Europäer müssen die Selbstbeherrschung üben, kein Ärgernis zu nehmen an den Gräbern und Ruinen, zwischen denen sie leben und noch lange leben werden. Der Mensch lebt immer zwischen Gräbern, und an seiner Würde, mit der er sich zwischen ihnen bewegt, erkennen wir seine Zukunftsart.

39.

Der schaffende Mensch ehrt die Vergangenheit dadurch, daß er sie ruhen läßt und nicht von ihr lebt. Die Tragik unsrer Väter ist es ja, daß sie wie Alchemisten Gold machen wollten aus ehrwürdigem Staub. Sie verloren ihr ›Vermögen‹ dabei. Sie durchwühlten so viele Kulturen, daß ihnen das naive Vermögen, eine eigene Kultur zu gestalten, verloren ging.

40.

Durch Umdeutung, Umwertung, nicht durch Abbruch und Umsturz schreitet der Schaffende fort.

Von Schopenhauer ward der Sieg des *Willens* über die Vorstellung gepriesen. Unter unseren Händen wandelte er sich in den Sieg des *Wissens* über die Vorstellung. Der gute Europäer schuf das exakte Denken, das jenseits von Vorstellung, Materie und Sitte steht, die Vertrautheit mit dem Absoluten, – ohne Schopenhauers Wunsch, in's Nichts zu fließen.

41.

Die Umwertung von Nietzsches Willen zur Macht in das Wissen um die Macht, – nach langen Kriegen, die wir unter Nietzsches Fahnen kämpfen und noch kämpfen werden –, das wird unser Glaube, unsre Zeit, die Zeit Europas sein.

42.

Aus dem alten Glauben, dem credo quia absurdum, wurde das moderne Wissen. Was wir nicht wissen, das glauben wir auch nicht.

Wir überschätzen nicht die Grenzen unsres heutigen Wissens; aber wir stellen jenseits der Grenze nicht wie unsre Väter den Glauben, sondern die Hypothese, das Wissen mit Vorbehalt oder wenn es uns besser dient, ein X. Doch würde man den Geist des Europäers gänzlich mißverstehen, wenn man hinter seinem X den alten Glauben vermuten wollte.

Gewiß können wir das Wort auch wenden und sagen, daß unser Wissen unser neuer Glaube ist, das neue Gesicht. Es ist ebenso wahr und zeigt nur die Unvollkommenheit des Worts, das nur ein Ungefähr andeutet und einen immer wandelbaren Sinn hat.

Das Wort an sich ist nicht präziser als die Farbe oder der Klang.

Das Wort Glaube, so gewendet, ist Stufe der Erkenntnis.

Die erste heilige Stufe der europäischen Erkenntnis war der Glaube des Gotikers, der den Himmel sah, den Legendenhimmel der Heiligen und der die Wundenmale seines Heilands an seinem Körper brennen fühlte und die Riesendome nach dem Bilde seiner Himmelsvorstellung baute.

Unser Glaube ist das zweite Gesicht, die zweite Stufe der Erkenntnis, die exakte Wissenschaft.

Jeder Glaube gebirt Form.

Unser Glaube des Wissens wird seine große Form im 20. Jahrhundert haben.

43.

Der Krieg, der grausige Spötter, hat die europäische Scheinkultur so gründlich ad absurdum geführt, daß es wahrlich eines dummen Mutes und Optimismus bedarf, um zu hoffen, daß nach dem Kriege alles beim Alten bleiben könnte. Der europäische Jammer wandelt sich bei den Edlen in Ergriffenheit einer neuen Hoffnung. Der Europäer besinnt sich, was ihm noch unzerbrochen geblieben ist, und findet nichts als sein Wissen, das unter dem Stampfen des fürchterlichen Krieges nicht geborsten ist. Aus ihm will und wird er seine neue Welt gestalten.

44.

Das Wissen ist ein sehr später Erbe der Philosophie. Die Disciplinen, die sich einst unter den Fittichen ihrer Erzeugerin wärmten, haben sie alle längst verlassen und traten in den Dienst des Positivismus des Lebens. In seiner Schule streiften sie die letzten Reste ihrer philosophischen Herkunft ab und, was tausendmal wichtiger ist, verwissenschaftlichen sich in ihr. Daß Wissenschaft aus ihnen wurde, ist die unsterbliche That des Europäers.

Wechselvoll und lange getrennt lief das Schicksal der einzelnen Disciplinen, bis in unsre Gegenwart, die das Schauspiel erlebt, wie sie alle wieder kristallisch zusammenschießen zu einer Disciplin, der exakten Erkenntnis, deren Formel die Lehre von den Naturgesetzen ist.

Schon Leibniz wollte erkannt haben, daß die Materie ›auch‹ Geist ist. Aber was für eines langen Weges (und Umweges über den Materialismus) hat es bedurft, um zu erkennen, daß die Welt nur Geist, *nur Psyche* ist und die zaubervollen Naturgesetze nur unsre zweite, geistigere, tiefere Form und Formel für die Psyche, für unsere eigne Psyche bedeuten.

Die Naturgesetze sind das Werkzeug unsrer zweiten, besseren Einsicht, unsres zweiten Gesichts, mit dem wir das Weltgeschehen heute betrachten.

45.

Unser Geist ahnt heute schon, daß das Gewebe der Naturgesetze auch noch ein Dahinter, eine größere Einheit, verbirgt: die Gestalt des Einen Gesetzes statt der geheimnisvollen vielen, die heute für unser Auge die ›neue Buntheit der Welt‹ ausmachen.

Wir ahnen, daß das Gesetz der Schwerkraft immer ein Vordergrundsgesetz, eine Prämisse und Konzession an unsre noch beschränkte Ausdrucks- und Einsichtskraft ist; ebenso die Auseinanderlegung von Elementen- und Energienlehre oder die getrennte Betrachtung der Schwingungsgesetze.

Wenn einmal für alle diese Gesetze Eine Formel gefunden sein wird, – wir werden sie mit voller Sicherheit finden –, werden wir vielleicht das dritte Gesicht haben.

46.

Die kommende Zeit, die ›Epoche des Geistigen‹, wie sie Kandinsky nennt, wird ihre ethischen und künstlerischen Formen aus den Gesetzen des exakten Wissens schöpfen.

47.

Der Wert der wissenschaftlichen Entdeckungen bemißt sich nicht nach ihrer zufälligen und ihnen heimlich abgelockten, bürgerlichen Nützlichkeit, sondern durchaus nach dem Grade, mit dem sich unser geistiges Auge neu orientiert. Alle Entdeckungen sind nur rein geistige Wandlungen und Verschiebungen der Erkenntnisbasis.

Wir zerlegen heute die keusche, spröde, immer täuschende Natur und fügen sie nach unserm Willen wieder zusammen. Wir blicken durch die Materie und der Tag wird nicht ferne sein, an dem wir durch ihre Schwingungsmasse hindurchgreifen werden wie durch Luft.

Stoff ist etwas, das der Mensch höchstens noch duldet, aber nicht anerkennt.

Wir müssen verlernen, in diesen Dingen nur glänzende Triks und Exzentriks unsres praktischen Witzes zu sehn statt Geist, révélation, Offenbarung.

Stoff und Raum verlieren für uns ihre Grenzen, ihre gotische Begrenztheit. Alles ist für unser Auge neu figuriert.

48.

Kein Mystiker erreichte in seinen verzücktesten Stunden, in denen er den Himmel offen sah, die vollkommene Abstraktion des modernen Denkers, sein Schauen durch und durch.

49.

Unser Wissen ist die alte Tarnkappe des Zauberers.

50.

Das Ohr des Europäers hat in kühner Frühreife und Vorahnung die abstrakten Formen der deutschen Musik geschaffen. Beethoven glaubte im Ernste schon das Reich gekommen; er lebte ganz im zweiten Gesicht.

51.

Schiller sang einmal die zaubrig schönen Worte:

Müßig kehrten zu dem Dichterlande
Heim die Götter, unnütz einer Welt,
Die, entwachsen ihrem Gängelbande,
Sich durch eignes Schweben hält.

Nun hat auch die Dichtung sich längst an der Welt zu Tode gesungen. Statt den Schein zu Form zu gestalten, wird die Kunst jetzt die neue Erkenntnis Form werden lassen. Jedes neue Wissen um die Welt – Glaube und Wissen sind sich wahl- und willensengverwandt – gebirt neue Form.

52.

Picasso gebrauchte sehr geistvoll das Stoffliche in dem ironischen, unsymbolischen, verlorenen Sinne, in dem unser frisches Denken das Stoffliche sieht, als er in seinen Bildern das Holz seiner Geigen oder ein Zeitungsblatt wie das unaufrichtige Grinsen der verneinten Materie anbringt.

Mit ähnlichem, leidendem Auge lugt aus den Werken anderer prophetischer Künstler die Materie hervor als Beiklang und Wirkungsgegensatz zu dem abstrakten Fernsinn ihrer gläubigen Bilder.

53.

Es ist nur zu begreiflich, daß man an diesen neuen Malern Ärgernis nahm, denn jeder fühlte deutlich, daß mit dem Antreten dieser herben und melancholischen Malerpropheten das ›bequeme Leben‹, die schöne Tradition und Väterweise vorbei sei, für immer vorbei. Die Meisten wollen lieber sterben als ›das noch mitmachen‹, die vita nuova.

54.

Der uralte Glaube an die Farbe wird durch die Entsinnlichung und Überwindung des Stoffes an ekstatischer Glut und Innigkeit zunehmen wie einst der Gottesglaube durch die Verneinung der Götzenbilder.

Die Farbe wird vom Stofflichen erlöst ein immanentes Leben führen nach unserm Willen.

55.

Unser uralter Wille, die trügerische Welt mit dem wahren Sein, dem ›Jenseits‹ zu vertauschen, kleidete früher dieses Jenseits künstlerisch in die Formen der sichtbaren Welt. Heute träumen wir nicht mehr eingeengt von den Dingen, sondern verneinen sie, da unser Wissen zu jenem Leben vorgedrungen ist, das sie verbergen.

Gott kam einst in einer Krippe ›zur Welt‹. Heute steht sie leer. Wir suchen die Formwerdung jenseits des heiligen Stalles in der visionären, in gesetzlichen Formen sichtbar gewordenen Natur.

Unser heute noch latentes Wissen wird sich morgen in formbildnerische Kraft wandeln.

56.

Unsre alte Empfindungswelt ist durch die Entwicklung unsres Weltwissens langsam abgebaut worden; unser dichterisches und malerisches Sehen ist gänzlich verändert. Was früher als ›Bildstoff‹ von unsrer Leidenschaft umfaßt wurde, löst sich uns in einfache Zahlenverhältnisse und Schwingungen auf.* Wir bleiben bei ihm nicht stehen. Unsre Leidenschaft bricht sich nicht mehr sentimentalisch an den Dingen, sondern sucht ihren Ausweg, ihre ›Bändigung durch Form‹ in den tiefsinnigen Bildern, die die neuerfaßten Naturgesetze unserm erstaunten Auge zeigen.

Die Energielehre erregt unsre Lust zur Form mächtiger als eine Schlacht oder ein fließender Strom.

57.

In Parenthese: Diese Gedanken sind nicht im vielbeschrieenen Atelier der Modernen geboren, sondern im Sattel und unter dem Dröhnen der Geschütze. Gerade und nur diese dröhnende Wirklichkeit riß die erregten Gedanken aus der gewohnten Bahn der traulichen Sinneserlebnisse in ein fernes Dahinter, in eine höhere, geistigere Möglichkeit als diese unmögliche Gegenwart.

---

* Daher die begreifliche, aber auch mit Recht getadelte Armut und Leere vieler moderner, modern gemeinter Bilder.

58.

Die Dekadenz der Kunst beginnt stets mit dem Auftauchen des Zweckgedankens, – der Wille zur Form schwächt sich ab zum Willen zu nützen.

Einen merkwürdigen und geistreichen Ausweg aus diesem Verhängnis suchte im 19. Jahrhundert die l'art pour l'art-Theorie; sie gewann freilich ihr Ziel der Erneuerung nicht; denn Kunst als Genuß und Genüge Einzelner, Kunst als Genuß überhaupt ist nur eine graziöse Variante des Nützlichkeitsgedankens. Von Genuß in der Kunst überhaupt zu sprechen ist eine Blasphemie und Unart.

Kunst ist immer nur Erkenntnis und Bejahung des Glaubens. Brauchbarkeit, Genuß, Glück liegen auf der äußersten Peripherie des Kunstempfindens, wo die Kunst verdünnt und verschlechtert ein höchst ärmliches Dasein führt.

Nietzsche sagt einmal: »Der Mensch strebt nicht nach Glück, nur der Engländer thut das.« Bei dieser besonderen Spezies Mensch, die der Engländer darstellt oder dargestellt hat, – der Krieg wird ihn manches gelehrt haben –, überwucherten die Glücks- und Nützlichkeitsgedanken dergestalt jede Tiefe, daß die Kunst auf jenem ›glücklichen‹ Eiland wirklich eines elenden Todes starb.

Wir Deutsche haben nie viel nach Glück gefragt; darin liegt unsre Kraft und darum wird es auch wieder eine deutsche Kunst geben, – nicht als Trösterin in der Not dieser Tage, sondern als das große Jasagen zum Geist der Zeit, ohne Hinter- und Nebengedanken.

59.

Die Entwicklung des neuen Europäertypus hat nur einen großen Widersacher, den Nietzsche so genial erkannt und entlarvt hat: den Typus des Engländers. Sein Antipode ist der deutsche Typ, der allein berufen ist, den Engländer im Europäer zu vernichten.

Den Auftakt dieser Mission bildet dieser sagenhafte Krieg, dem noch viele blutige und unblutige folgen werden, bis die Gefahr der Verengländerung Europas abgewendet ist.

In uns allen steckt das Gift und Übel.

Der Kampf gegen die ›Ausnutzung der Welt‹, gegen den Utilitarismus in allen Dingen und vornehmlich in der Kunst, das ist unser Programm.

60.

Wollen wir daneben auch unsre Angst nennen, so ist es die Angst, mißverstanden, zu leicht verstanden zu werden. Nicht daß wir der Lebenskraft und Zukunft unsrer Gedanken mißtrauten, aber wir mißtrauen der Behendigkeit des Einverständnisses, das unsern Problemen droht, des Einverständnisses jener, die von der Zukunft reden und die Gegenwart meinen, die immer mit der Zeit eilen und statt der Zukunft nur ihre Zukunft im Auge haben. Während wir lange beiseite treten und unser Wollen prüfen und nach dem festen Grunde suchen, auf dem wir bauen können, zimmern jene schon auf der Basis leichter Worte ihre billigen Scheingebilde, die die Menge für Kunst, für die gedachte Kunst hält.

61.

Die Neugierde des Lesers sucht in den Zeilen und zwischen den Zeilen nach der gewissen Formel der neuen Form. Aber noch immer hat das Volk selbst, – damit ist nicht die Menge gemeint –, der Kunst den Stil gegeben. Die Künstler sind nur Deuter und Erfüller des Volkswillens. Wenn aber das Volk nicht weiß, was es will, oder nichts will, – der schlimmste Fall, den die Jahre vor dem Kriege lehrten, – bleiben seine Künstler, die triebhaft nach Form suchen, isoliert und werden zu Märtyrern.

Das böse Wort ist gesagt, das dem Europäer so schlecht in die Ohren klingt, ein häßliches Wort, so häßlich im Klang als im Sinn.

Hier droht der Kunst die zweite Gefahr.

62.

In dem fürchterlichen Erlebnis des Krieges ist uns vieles bewußt geworden, das vorher indiskutabel schien, so die Dringlichkeit einer neuen europäischen Kultur, – die alte hat in diesem Kriege ein irreparables Fiasko erlitten –. Vieles ist neu bewiesen worden, an das man nicht mehr glauben wollte, das unverbrauchte Heldentum der Europäer, die Bürgschaft unsrer Zukunft.

Die heroische Kraft, die der Europäer gezeigt, wird sich nicht, wie Einfältige prophezeien, in Schwäche und Entkräftung wandeln, sondern in ihr Äquivalent, in geistige Kraft. Europa geht nicht verloren. Daß die europäische Energie sich auf außereuropäische Völker verpflanzen könnte, ist der unwahrscheinlichste, wohl unmöglichste Fall.

Es wäre die dritte und letzte Gefahr, an die wir nicht glauben.

63.

Es ist das Geheimnis der Schaffenden (wie der Natur, dem Symbol der Schaffenden), gerade den Widersinn, das Spröde und Böse zu ihrem Werke zu gebrauchen.

Nietzsche's Lehre, daß alles Große »trotzalledem« geschieht, ist das Evangelium der Schaffenden.

Unsre Herzen zittern in dieser Kriegsstunde, nicht vor der Gefährlichkeit der Krise, sondern vor Freude, die böse, dunkle Stunde Europa's erlebt zu haben.

Das Ausfallsthor der That.

64.

Der entscheidende Moment der geistigen Wende Europas wird sein, wenn den modernen Menschen wie ein Blitzstrahl die Erkenntnis befällt, daß die ›technische Überwindung der Welt‹ nicht den Endzweck seiner jahrhundertlangen geistigen Riesenarbeit darstellen kann.

Die nachdenklichste Lehre und Ironie des großen Krieges war wohl die, daß gerade die wunderbarsten Triumphe unsrer ›kriegerischen Wissenschaft‹ uns wieder in das primitivste Zeitalter des Höhlenmenschen zurückgezwungen hat.

Die graue Feldmaus als Wappentier des modernen Kriegers.

Dem Nachdenklichen dürfte dieser Krieg die große Einkehr und Ernüchterung bringen über sein ›Zeitalter der Technik‹, wenn er nicht längst erkannt hat, daß mit dem heiligen Wissen der Neuzeit nicht so sehr Brauch als Mißbrauch getrieben wird. Die Verweltlichung der heiligen Lehre ging diesmal ihrer Religionswerdung voraus, – ein außerordentliches Problem für die Volkspsychologie.

65.

Die Reine Wissenschaft ist unser europäisches Gewissen.

Horchen wir in allen dunklen Fragen auf unser Gewissen.

66.

Virgo parens rerum. Nur der keusche, weltunbefleckte Gedanke hat bildende Kraft. Nur die reinen, dem Scheine nach unscheinbaren, dem Worte nach bekannt scheinenden Gedanken speisten und formten die Jahrhunderte. Siehe die Geschichte der Religionen. Gleicherweise wird unsre europäische Religion ihren unscheinbaren Ausgang von der Erkenntnis der weltunbefleckten Reinheit der Wissenschaft, der keuschen Majestät des Wissens nehmen.

Die Ahnung dieses religiösen Sinnes der Wissenschaft reicht weit in die Jahrhunderte zurück. Er war im 19. Jahrhundert ein öffentliches Geheimnis. Der Weg zu seiner Erfüllung führt über die Leiden der Technik, durch das Feuer bitterer Kriege.

67.

Unscheinbar, fast hoffnungslos tauchte vor Jahren der Gedanke einer Kunst der ›reinen Formen‹ auf. Ja, seine eigenen Rechtfertigungen versteckten sich hinter Scheingründe und Theorien, die der Kühnheit und Reinheit der neuen Werke kein gutes Geleite gaben. Niemand wagte ganz schlicht zu sagen, daß die Rechtfertigung im neuen europäischen Schauen liegt, in einer neuen Weltanschauung, und daß wir schon mitten im Lichte des neuen Gesichtes stehen, das – früh oder spät – unsre Kunst neu formen will.

Der Weg liegt übersät von Mißverständnissen. Von einem will ich reden, das ich als eines der schlimmsten erkannt habe, die Gewohnheit, mit besonders schlauer Miene das Wie in der Kunst gegen das Was auszuspielen. Das setzt zum ersten und schlimmsten voraus, daß man von Kunst überhaupt reden könne, wo das Wie, die Qualität fehlt. Es wäre also höchstens eine Rede an die Dilettanten. Künstler kennen nur das Was, den Inhalt. Die Form ist ihre intuitive Begabung, das biblische Pfund.

Das Volk hat sich in seinem Instinkt nie beirren lassen, ausschließlich nach dem Inhalt seiner Kunst zu fragen.

Das absolute Unvermögen des einfachen Menschen, ein gläubiges und vertrauliches Verhältnis zu den neuen Kunstformen zu gewinnen, leitet sich vornehmlich aus jenem auch für die Suchenden und Schaffenden verhängnisvollen Mißverständnisse her. Das Volk wird niemals willig sein, eine Form zu würdigen, deren Inhalt sein Geist nicht sieht und sein Herz nichts angeht. Wo aber das Volk ein gläubiges und begeistertes Interesse für den ›heiligen Inhalt‹ fassen kann, kennt es auch keine Formschwierigkeiten mehr. Peru, Siena und die Glasfenster des Straßburger Doms sind beredte Zeugnisse. Was da und dort dem Volke möglich war, sollte ein neues Mal nicht mehr Ereignis werden?

Es müßte schlecht mit dem Europäer bestellt sein, schlecht mit der Frucht seiner ungeheuern Geistesarbeit, wenn dieses Riesenkapital der geistigen Geschichte im Sande der Wohlfahrt und Nützlichkeit verliefe, – ohne in Geist zu münden und ohne zur Form zu kommen.

68.

Findet man keine Brücke, die von diesen Gedanken zur Gegenwart führt?

Aus dem Möbelschnitzer der Gotik ist heute der Modellschreiner auf der Werft geworden; beide sind Handwerker, die um die Form ringen, beide sind ergriffen von der Einzigkeit ihres neuen Wissens und Schauens.

69.

Die Naturliebe, die ›Entdeckung der Landschaft‹ bleibt ein reizend-wehmüti-
ges Kuriosum der letzten europäischen Epoche; denn zugleich mit ihr schuf
man die exakten Naturwissenschaften, das entscheidende Mittel, jedem sentimentalen oder materialistischen Naturalismus den Todesstoß zu geben.

An uns selbst, vor unsern Augen, in unsern Herzen vollzieht sich dieses grausame, denkwürdige Schauspiel.

Unsre Sinne sind darum nicht abgestumpft und gelangweilt vor dem Naturbilde (– so wenig als die Sinne der Ägypter und Griechen). Aber wir verlieren
unser Kunstwollen nicht mehr an diesen lieblichen Schein. Unsre Sinne erfassen glühend erregt einen neuen Inhalt, auch auf die Gefahr und Gewißheit hin,
daß dieser nur ein zweiter, tiefer zurückliegender Schein ist. Kant sprach von
ihm das philosophische Wort: man muß sich begnügen zu wissen was die
Dinge scheinen. Wie tiefsinnig gegen Goethes voreiliges: »ob nicht Natur sich
endlich doch ergründe.«

70.

Auch die Wissenschaft ist nicht ein Ziel, sondern eine Art unsres Geistes.

71.

Ich folgte den Dingen wie jener Mann, der hinter seinem Begräbnis einher-
schritt. Er freute sich, daß man die schwarze Bürde seines Lebens vor ihm her-
trug und fühlte sich frei und leicht, der schopenhauerische Mensch.

Ich band meine Sinne fest, daß sie nicht hören noch sehen noch tasten
konnten. Nur mein Geist verkehrte mit den Dingen, die ihm alle ihre freudigen
Geheimnisse sagten, dem guten neuen Europäer.

72.

Ich war von seltsamen Formen umkreist und ich zeichnete, was ich sah: harte,
unselige Formen, schwarze, stahlblaue und grüne, die gegeneinander polterten,
daß mein Herz vor Weh schrie; denn ich sah, wie alles uneins war und sich im
Schmerze störte. Es war ein schreckliches Bild.

73.

Dann sah ich ein anderes Bild: viele kleine hüpfende Gestalten, die sich über
schwirrenden und schwingenden Linien zu Klangfiguren reihten. Sein Grund
war hundertfarbig. Jeder lächelte freudig, der dies singende Bild sah.

Unten links lief ein weißes Kaninchenpaar mit roten Augen.

Ich weiß nicht, wie es in das Bild gekommen. Aber ich nannte dies Bild: Das Zittern des Kaninchens.

74.

Meine ausschwärmende Sehnsucht sah ein anderes Bild, das tiefe Bild: Die Formen schwangen sich in tausend Wänden zurück in die Tiefe. Die Farben schlugen an die Wände, tasteten sich an ihnen entlang und entschwanden in der allerletzten Tiefe.

Jeder schrie vor Sehnsucht, der dies Bild sah.

Unsre Seelen zogen den Farben nach in die letzte Tiefe.

75.

Wie unsagbar sind alle diese Dinge. Wie unsagbar schön.

76.

Noch einmal sei's gesagt: Die Wissenschaft ist nicht das Ziel, sondern eine Art unsres Denkens, unser Symbol und die neue Fabel.

Kant verglich die Liebe mit der Gravitation. Aber er erriet noch nicht, daß die Gravitationsgesetze nur reine Anschauungsform der Liebe sind. Die Liebe ist das Primäre und das Gravitationsgesetz ihr Substrat, eines ihrer Substrate, die Chemie ein anderes. Nicht unser ›reiner Verstand‹, sondern unser Instinkt, oder sagen wir es frei: unsre Leidenschaften, denen der Verstand als feinstes Werkzeug dient, erfanden die Gesetze, die unsre Sinne heute erschüttern und bezaubern.

Auch in den Wissenschaften ist alles nur im Bilde gesagt. Unser Kunstwille geht stumm vorüber an der alten Natur, die ihm solange als Symbol gedient hat, und stürzt sich mit wunderbarer Erregung in dieses neue Weltbild.

Um diesen Angelpunkt unsrer Erkenntnis wendet sich das Schicksal der europäischen Kunst.

77.

Auch die Alten ahnten den ihnen ›geheim‹ deuchtenden Zusammenhang von Kunst und Naturgesetz und suchten die Kunst mit dem goldenen Schnitt und mit Zahlen zu ›beweisen‹, post festum et ante; man abstrahirte und konstruirte ›Kunstgesetze‹, freilich mit dem weit in die Irre irreführenden Gedanken, daß diese als glückliche Mittel in der Kunst zu betrachten seien.

Man ahnte nicht, daß die Naturgesetze nur eine Anschauungswelt höherer Ordnung bedeuten, in die die Kunst restlos eingeht. Selbst Bach ahnte es kaum, wie nahe er auch das große Problem streifte, wie innig er das Phantom umarmte.

78.

An die Stelle des Naturgesetzes als Kunstmittel setzen wir heute das religiöse Problem des neuen Inhalts. Die Kunst unsrer Epoche wird zweifellos tiefliegende Analogien mit der Kunst längstvergangener primitiver Zeiten haben, freilich ohne die formalistische Annäherung an diese, die heute manche Archaisten sinnlos erstreben. Ebenso zweifellos wird unsrer Zeit eine andre Epoche kühler Reife folgen, die ihrerseits wieder formale Kunstgesetze (Traditionen) aufstellen wird, im Parallelismus des Geschehens, in sehr ferner, reifer, späteuropäischer Zeit.

79.

Den Menschen graut vor Leichen und Moder, – warum thut er so vertraut und gutmütig verliebt mit totem, faulendem Geist? Noch nicht die einfachsten Vorsichten und Reinlichkeitsvorschriften gegen Ansteckung und Seuche im geistigen Leben sind uns bekannt; die medizinischen Wissenschaften thuen gerade als gäbe es nur ›ihre‹ Bazillen!

80.

Das geistige Kopfleben kennt dieselben Ansteckungsherde und Bazillenträger wie das Rumpfleben der physiologischen Welt, das nur das Paradigma des Geistes ist.

Mit listiger Verschlagenheit redet man aber immer von der Ansteckungsgefahr, die dem Neuen, Ungewohnten, der unbewohnten Zukunft anhaften soll, ein vielgeglaubter Satz der Zurückstehenden, murmelnden Menge. Man frägt die Mediziner nicht einmal, wie unmöglich dieses sei und wie gewiß sein Gegenteil.

Nur in Zerfallsprodukten, in der Zersetzung des Alten lauert dem Geist Gefahr. Zwischen frischen, nackten, neuen Dingen ist noch kein Geist verseucht und erkrankt.

Wer lebt heute zwischen frischen Dingen?

Was ist *Reinheit*?

81.

Ich ritt durch ein Städtchen mit lieblichen alten Bauten; die Frauen sahen aus den Fenstern. Die Stunde war bräunlich, hell und heimlich. Da befielen mich diese Gedanken von der Gefährlichkeit der toten, wieder todbringenden Dinge und von der großen Reinheit.

Sollten die guten, alten Bilderstürmer schon meinen Sinn erraten haben? Etwas Wahres, Nahes, die ›Gefahr‹ ahnten sie gewiß.

Ich aber trabte eilend aus dem Städtchen der vielen Erinnerungen und Ansteckungen, bis ich die reine Luft der Morgenröte roch.

82.

Ich sah das Bild, das in den Augen des Teichhuhns sich bricht, wenn es untertaucht: die tausend Ringe, die jedes kleine Leben einfassen, das Blau der flüsternden Himmel, das der See trinkt, das verzückte Auftauchen an einem andern Ort, – erkennt, meine Freunde, was Bilder sind: das Auftauchen an einem anderen Ort.

83.

Reinheit und Helle; befreit sein von der alten Fessel der Konsonnanz ⟨sic!⟩;
    Mit heißem Auge und feurigem Ohr durch die neuen Jagdgründe ziehen.
Das Aufblühen des Unbekannten.

84.

Gleich den ›Wiedergeborenen in Christo‹ erleben wir heute die große Ablösung vom alten Europäer, das Eintreten in die Helle des neuen Gedankenkreises, der bislang in unbestimmtem Schimmer unser Leben umkreiste. Wir leben heute in seiner Wärme und Farbe, in seinem Klang und seiner panischen Schnelle. Wir guten Europäer verwandelten die Geister, die uns einst schreckten oder tröstend belogen, in unsern Geist.

Bereit sein ist alles.

85.

Im großen Krieg stand in irgend einer Stunde und Sekunde jedes Herze einmal, ein kleines einziges Mal ganz still, um dann mit leisem neuen Pochen wieder langsam aufzuhämmern der Zukunft entgegen.

Das war die heimliche Todesstunde der alten Zeit.

Was ist uns heute von allem, das in unserm Rücken liegt, noch heilig?

Niemand, niemand kann von nun an über die Blutlache des Krieges hinweg nach rückwärts und aus dem Rückwärts leben.

86.

Balzac, le vétérinaire des maux incurables, besang in seinem endlosen Werk sein tieferkranktes Frankreich, die Not der sentimentalen Seele.

Wie unsäglich hat das große Herz des unseligen Sängers am Hauch der Verwesung gelitten!

Wir sind heute nicht mehr einbezogen in jene Zeit. Der Krieg hat uns geholfen.

Was aber der Krieg nicht zerstampft hat, was lebend weiterkriecht in unsre Zeit, das werden wir reinen Europäer ableugnen und – aus Reinlichkeit – meiden wie die Seuche.

Rein sein ist alles.

87.

Ich fing einen einsamen Gedanken, der sich wie ein Falter auf meine hohle Hand setzte; der Gedanke, daß schon einmal sehr frühe Menschen gelebt haben, die in unserm zweiten Gesicht standen und das Abstrakte liebten wie wir.

In unsern Völkermuseen hängt so manches Ding ganz verschwiegen und sieht uns mit seltsamem Auge an.

Wie waren solche Erzeugnisse eines reinen Willens zum Abstrakten möglich? Wie solche abstrakten Gedanken denkbar ohne unsre neuen Möglichkeiten des abstrakten Denkens?

Unser europäischer Wille zur abstrakten Form ist ja nichts anderes als unsre höchst bewußte, thatenheiße Erwiderung und Überwindung des *sentimentalen Geistes.* Jener frühe Mensch aber war dem Sentimentalen noch nicht begegnet, als er das Abstrakte liebte –

88.

Gott schuf die Welt und stellte sie zur Diskussion.

89.

So erscheint dem späten Denker das Abstrakte wieder als das natürliche Sehen, als das primäre, intuitive Gesicht, das Sentimentale aber als hysterische Erkrankung und Reduktion unsres geistigen Sehvermögens.

Alle hohen Völker und nicht zum wenigsten die Orientalen verfielen alternd dieser Krankheit.

Der Europäer als Arzt und Wiederverkünder alter Wahrheit –

Wie wir unser Problem auch wenden, es wird immer ernster, dringender.

90.

Wie schön, wie einzig tröstlich zu wissen, daß der Geist nicht sterben kann, unter keinen Qualen, durch keine Verleugnungen, in keinen Wüsten.

Dies zu wissen macht das Fortgehn leicht.

Ich singe mit Mombert:

»Nur Einen Flügelschlag möcht ich thun,
Einen einzigen!«

91.

Noch andre Fragen kreisen.

Gepeinigt, gestaltlos und ungelöst liegt das Problem des zukünftigen Eros.

Unsre Erotik steht noch zutiefst im sentimentalen Zeitalter, das dem Weibe gehörte, (– das ewig Weibliche zog uns hinan). Der wissende, strenge Typus des neuen Europäers wird ein männlicher Typus sein; er wird auch die Erotik, statt sie und sich dem Weibe zu überantworten, wieder seine Sache werden lassen.

Europa wird viel um diese Frage leiden, die die Emanzipation des Mannes bringen muß. Die europäische Frau bewies den feineren Instinkt für die Dinge, die kommen werden. Denn die Emanzipation des Weibes als Angleichung an den kommenden männlichen Typ ist ein klug-bedächtiger Weg nach diesem Ziel. Es ist ein ergreifender Vorgang, daß das Weib selbst seine mannhafteren Triebe zu wecken trachtet, um der Verweiblichung unsrer Erotik ein Ende zu bereiten. Seine Emanzipation bedeutet nichts anderes.

Wir stehen heute inmitten des uralten Amazonenproblems.

92.

Die Zeiten würden so leicht, alles würde so leicht und hell, wenn das Denken des Europäers sich gewöhnte, den ersten, nächstbesten Schein der Ereignisse zu durchbrechen und ihren zweiten und wenn es nötig wird zehnten reineren Sinn betrachtete, so wie es die Physiker machen. Aber die Denklust des Europäers ist noch immer von einer bäurischen Genügsamkeit. Es ist um so erstaunlicher, als er selbst doch in seinen Wissenschaften sich eine wunderbare Disciplin des Denkens gezimmert hat; aber er wendet sie nie auf seinen Lebenskreis an. Er will nur Arbeiter, willenloser Lohnarbeiter in der Fabrik des Geistes sein.

Es muß uns gelingen, ihn aus dieser geistigen Apathie zu reißen.

Dann wird alles Schwere leicht.

93.

Man soll in den Dingen nicht den Schalk sehen, sondern die Vorposten und

Fühlhörner der dunklen Macht, der wir den Fehdehandschuh hingeworfen haben. Die Natur ist von je die größte Lügnerin und Despotin des guten, einfältigen Menschen gewesen. Aber weh ihr! Ihre Trugkünste kommen an den Tag. Eines Tages wird der Mensch mächtiger sein als sie.

94.

Unsre Lehre ist die Lehre von den hundert Stufen der Erkenntnis.

Laßt uns im Rücken der Dinge leben; denn alle Dinge sind unfreudig, unwahr und häßlich.

95.

Ich hatte dieses Gesicht: Ich ging zwischen den Dingen umher und die ich ansah, die verwandelten sich und zeigten ihre Unseligkeit und flohen aus ihrem unwahren Sein. Ein Baum, den ich ansah, begann qualvoll zu seufzen und brach auseinander; seine grünen Blätter flatterten singend durch den blauen Himmel davon; und wo der Baum gewesen war, stand mit Worten in den Sand geschrieben: Wer mich erlöst hat vom harten Baum-sein, der suche meine Seele nicht im Kern des Apfels, auch nicht im Willen zur Gestalt, sondern allein in der Not des Baum-seins, im Leid und Zwang zur Mißgestalt. Der Künstler soll nicht das Lob unsres häßlichen Seins singen, sondern unsern Dryadenwillen zum Anders-sein. Daß wir Euch Saft und Holz und Form scheinen, ist unser Verhängnis.

Wer uns kennte!

Das ist das Lied vom Leid des Baumes!

96.

Die Natur ist häßlich und unselig, ein bitteres Gefängnis des Geistes.

97.

Ich sah einen Stuhl an: wie haßte er sein Stehen. Sein Zweck birgt nicht seine Schönheit, sondern seinen Fluch und sein Verhängnis.

Alles ist Zwang und Unfreiheit.

Es ist nicht wahr, daß der Stuhl steht; er wird gehalten; sonst flöge er davon und verbände sich dem Geist.

98.

Man sollte mit der Natur bestenfalls eine große Trauer fühlen wie mit Gefangenen. Es gibt nichts Traurigeres als das Auge der kleinen Blumen oder das in seiner Not der inneren Last unglücklich wankende Meer.

Wer aber in unserm Mitleid und Grauen vor der Häßlichkeit der natürlichen Dinge den alten Weltschmerz wittern will, versteht uns Europäer schlecht. Wir wollen nicht mit-leiden, sondern umschaffen, anderes schaffen.

99.

Die Zukunft gibt immer den Schaffenden recht. Die Schaffenden geben immer der Zukunft recht, aber niemals der Gegenwart, die für sie immer schon Vergangenheit ist. Sie stürzen die Vergangenheit auch nicht mit frevelhaften Händen um, sondern mit feierlichen Werken; und die Gegenwart gibt ihnen niemals recht.

100.

Wir leben in einer harten Zeit.
Hart sind unsre Gedanken.
Alles muß noch härter werden.

Bibliographische Nachweise

Allgemeine Bemerkung: Unser Abdruck erfolgt – wo immer möglich – nach dem Manuskript einschließlich der gestrichenen Sätze und Worte. Schreibweise und Interpunktion sind grundsätzlich beibehalten, Abkürzungen jedoch aufgelöst. Eckige Klammern [...] bedeuten: im Konzept gestrichen bzw. nicht in die Druckfassung übernommen. Spitze Klammern ⟨...⟩ bedeuten: vom Herausgeber zur Klärung des Sinnes hinzugefügt (Ausnahmen siehe Nr. 2 und 30). Auf spätere Wiederabdrucke und kurze Auszüge ist nur in besonderen Fällen hingewiesen. Die maschinenschriftlichen Kopien des Herausgebers von 1948 nach den inzwischen verschollenen Originalen der Nr. 7, 8, 11, 12, 32 sind dem Germanischen Nationalmuseum Nürnberg übergeben worden.

1. Französisches Tagebuch (1903)
Heft in Oktav, eigenhändig
Ohne Titelblatt, auf der ersten Seite oben:
›Voyage Paris-Bretagne/avec Mr. Lauer. Mai 18 – / 1903.‹
Unveröffentlicht
Nürnberg, Germanisches Nationalmuseum
Fehlerhafte Schreibweise von französischen Worten ist beibehalten, jedoch kenntlich gemacht.

2. Über das Tier in der Kunst (April 1910)
Hier veröffentlichte Erstfassung in Brief an Reinhard Piper vom 30. April 1910
München, Archiv Reinhard Piper
Von Piper redigiert und abgedruckt in dessen Buch: ›Das Tier in der Kunst‹. München 1910, S. 190
Es bedeutet in diesem Fall: ⟨...⟩ = von Piper hinzugefügt

3. Aufzeichnungen auf Blättern in Quart ohne Titel über das Tierbild und über ›Das Groteske‹ (Winter 1911/12)
Drei Seiten Maschinenschrift
Nürnberg, Germanisches Nationalmuseum
Erstdruck in: Briefe, Aufzeichnungen und Aphorismen. Berlin 1920, S. 121 f.

4. Die neue Malerei (Februar/März 1912)
Aus: PAN, 2. Jahrgang, No. 16 vom 7. März 1912, S. 468–471
Dort der Name des Verfassers fälschlich ›Mark‹ geschrieben
Manuskript verschollen

5. Die konstruktiven Ideen der neuen Malerei (März 1912)
Aus: PAN, 2. Jahrgang, No. 18 vom 21. März 1912, S. 527–531
Manuskript verschollen
Wiederabdruck in: Franz Marc, Aquarelle und Zeichnungen. Unteilbares Sein. Köln 1959, S. 6–11
Das Urteil von Ghiberti über Masaccio ist von Marc zitiert nach: Die Chronik seiner Vaterstadt Florenz von Lorenz Ghiberti. Nach dem Italienischen von August Hagen. Erster Theil, Zweite Auflage. Leipzig 1861, S. 210. Diese Ausgabe bezeichnet Julius Schlosser als »eine romantische Mystifikation« (in: Die Kunstliteratur. Wien 1924, S. 91). – Die genannten Schriften von Worringer und Kandinsky sind 1908 bzw. 1912 bei Reinhard Piper in München erschienen.

6. Anti-Beckmann (März 1912)
Aus: PAN, 2. Jahrgang, No. 19 vom
28. März 1912, S. 555 f.
Manuskript verschollen

**7. Aufzeichnungen aus Skizzenbuch-
blättern in Oktav ohne Titel (Ende
1912/Anfang 1913)**
Fragment; Blatt 4–7, Blatt 1–3 fehlen
Unveröffentlicht
*Maschinenschriftliche Kopie des Heraus-
gebers von 1948 nach dem inzwischen verschollenen Original*
Vor den zwei letzten Absätzen, die auf
der Rückseite von Blatt 7 standen, unterzeichnet mit: ›F. M.‹
Bei der Schrift von Marinetti bezieht
sich Marc auf die Übersetzung: Die
futuristische Literatur. Technisches Manifest von F.T. Marinetti, in: Der
Sturm, 3. Jahrgang 1912/13, Nr. 133,
Oktober 1912, S. 194 f.
Dazu erschien später: Supplement zum
technischen Manifest der Futuristi-
schen Literatur. Von F.T. Marinetti,
in: Der Sturm, 3. Jahrgang 1912/13,
Nr. 150/151, März 1913, S. 279 f.

8. ›Religiöses‹ (1912–1913)
Auf unnumeriertem Blatt in Quart
*Maschinenschriftliche Kopie des Heraus-
gebers von 1948 nach dem inzwischen verschollenen Original*
Erstdruck ohne die im Original gestrichenen Sätze und Worte in: Briefe,
Aufzeichnungen und Aphorismen, S.
124 f.

**9. Aufzeichnungen auf Bogen in Folio
ohne Titel: Thesen über die ›abstrakte‹ Kunst und über ›Grenzen
der Kunst‹ (1912–1913)**
Fragment; Blatt 3–7, Blatt 1 und 2 fehlen
Maschinenschriftliche Kopie des Heraus-

gebers von 1948 nach dem inzwischen verschollenen Original
Teildruck in: Briefe, Aufzeichnungen
und Aphorismen, S. 123 f.

**10. Aufzeichnung in Skizzenbuch
XXVIII: Expressionistische Verse
(1912–1913)**
Erstdruck in: Lankheit 1976, S. 124
München, Nachlaß Franz Marc

**11. Aufzeichnung in Skizzenbuch
XXXI: Expressionistische Prosa
(1913)**
*Maschinenschriftliche Kopie des Heraus-
gebers von 1948 nach dem inzwischen verschollenen Original (Skizzenbuch aufgelöst)*
Unveröffentlicht

**12. ›Zur Kritik der Vergangenheit‹
(1914)**
*Ältere maschinenschriftliche Ausfertigung
von Maria Marc und maschinenschriftliche
Kopie des Herausgebers von 1948 nach dem
inzwischen verschollenen Manuskript*
Unveröffentlicht
Das griechische Motto wird dem Archi-
medes zugeschrieben. Siehe: Pappus,
Collectio mathematica, herausgegeben
von Friedrich Hultsch. Band III, Berlin 1878, S. 1060
»Zweimal zwei ergibt in Wahrheit niemals vier.«: wohl nach Dostojewsky,
Aus dem Dunkel der Großstadt, München 1907, S. 18 f. Möglicherweise auch
nach Lichtenberg, aus dessen Werken
ebenfalls 1907 eine Auswahl in München erschienen war (Hinweis von
Eberhard Seybold).
»Herr von Bode«: gemeint ist der Beitrag von Wilhelm von Bode, Die
›Neue Kunst‹, in: Der Kunstfreund,
herausgegeben von der Vereinigung
der Kunstfreunde. I, Jahrgang 1913/14,
Heft 1, Oktober 1913, S. 12–15.

Siehe auch: Wilhelm von Bode, Der Oberbürgermeister von Halle und die Sammelpolitik der deutschen Städte; Sonderbeilage des ›Kunstfreund‹, April 1914

13. ›Das abstrakte Theater.‹ (Juni 1914)
Heft in Quart, eigenhändig (s. Abb. 22)
Unveröffentlicht
Es bedeutet auch hier: [. . .] = im Original gestrichen; weitere von Marc verworfene Textvarianten sind jedoch nur abgedruckt, wenn sie inhaltlich von Bedeutung sind.
Nürnberg, Germanisches Nationalmuseum
Zur Datierung siehe den Brief Marcs an August Macke vom 12. Juni 1914:
»... mir geht's wenigstens nicht mehr aus der Feder; aber im Stillen schreibe ich allerdings, – ich kann's nicht lassen. Eine längere Sache über moderne Theater-›Ideen‹. Wenn ich mal was beisam-

men habe, schicke ich's Dir. So in extenso läßt sich schwer darüber reden.« (August Macke – Franz Marc, Briefwechsel. Köln 1964, S. 184).

14. ›Zur Ausstellung der 'Neuen Künstlervereinigung' bei Thannhauser‹ (September 1910)
Maschinenschriftliches Konzept mit handschriftlichen Verbesserungen und zwei handschriftlichen ›Einlagen‹
Sieben Seiten in Quart und auf Briefbogen (eigenhändig)
Irschenhausen, Nachlaß Adolf Erbslöh
Erstdruck als Sonderdruck der ›Neuen Künstlervereinigung München‹ 1910
Im Erstdruck unterzeichnet: »FRANZ MARC. / Sindelsdorf (Oberbayern).«
Von der Neuen Künstlervereinigung in ihrem Sonderdruck einer negativen Kritik gegenübergestellt, deren Text wie folgt lautet:

»Zweite Ausstellung der Neuen Künstlervereinigung München
In H. Thannhausers Moderner Galerie im Arco-Palais.

Diese absurde Ausstellung zu erklären, gibt es nur zwei Möglichkeiten: entweder man nimmt an, daß die Mehrzahl der Mitglieder und Gäste der Vereinigung unheilbar irrsinnig ist, oder aber, daß man es mit schamlosen Bluffern zu tun hat, denen das Sensationsbedürfnis unserer Zeit nicht unbekannt ist und die die Konjunktur zu nutzen versuchen. Ich für meinen Teil neige, trotz gegenteiliger heiliger Versicherungen, letzterer Ansicht zu, will aber aus Gutmütigkeit einmal die erste acceptieren und dem Symptomatischen dieser Schau einige Worte widmen. Unseren Vätern ist – und zwar nicht bloß auf dem Gebiete der bildenden Künste – das fatale Mißgeschick unterlaufen, daß sie ein paarmal kurz hintereinander in der Wertung großer und starker künstlerischer Talente sich besonders bös verhauen haben. In Konvention und bequemer Tradition verknöchert, hatten sich ihre Gehirne als unfähig erwiesen, rasch und energisch junge und revolutionäre künstlerische Ideen, wie sie gerade in ihrer Epoche aufgingen, Raum fassen zu lassen. Dafür – die Sünden der Väter rächen sich bekanntlich ja an den Kindern – sollen nun wir Heutigen die Strafe erleiden, und es gibt nichts so Unsinniges, was man uns in Hinsicht auf jene Tatsache nicht vorzuenthalten wagte: ›Nehmt Euch in acht, es geht Euch wie jenen, Ihr werdet Euch ebenso blamieren!‹
Auf diese Weise *muß* natürlich ein wahnwitziger Snobismus gezüchtet werden, umsomehr, als die Teilnahme, die man künstlerischen Dingen entgegenbringt, heute eine weit vielseitigere ist, als es vielleicht im eigenen Interesse gelegen ist. Man stellt nicht nur, um nur ja nicht in den Verdacht des Banausen zu kommen, jeden Unsinn aus und bewundert ihn, ja man kauft ihn sogar, wie die Beispiele lehren, um phantastische Preise. Das Satyrspiel nach der Tragödie!

Nun könnte man ja das Ganze ruhig auf sich beruhen lassen, es Herrn Snob (auch in der Kritik treibt er sich heute mehr als wünschenswert herum) ruhig gönnen, daß er auf den Leim geht, aber die Sache hat doch außer der komischen auch eine verteufelt ernste Seite. Einmal gilt es, diejenigen Künstler in Schutz zu nehmen, die wirkliche Befähigung besitzen, es noch ernst und ehrlich mit ihrer Kunst nehmen und natürlich ob der jeder vornehmen Natur innewohnenden Selbstachtung und Scham außerstand gesetzt sind, mit Sensationen solcher Art in Konkurrenz zu treten, weiterhin aber auch denjenigen Teil des Publikums, der nicht gerade aus übermächtigen künstlerischen Neigungen und Verständnis heraus, wohl aber nur aus einem schönen Bildungsdrange heute gerne Ausstellungen besucht. Die Kollektion soll ja, wie ich höre, eine längere Tournee durch Deutschland machen, und da wird sie zweifelsohne in Städten, wo man weniger wie etwa hier in München weiß, woran man ist, großen Schaden tun. Wie die Sache schon einmal liegt, wird das Publikum anzunehmen geneigt sein, daß an der Sache wohl etwas sein müsse, da man solche Umstände damit macht. Den Gedanken, daß es sich hier schlechtweg um Dupierung oder um eine jener Arten von Wahnsinn handeln könnte, wie er im Werdegang der Künste und auch sonst im Kulturleben von Zeit zu Zeit immer wieder in Erscheinung tritt, faßt man nicht allzu gerne. Und schließlich läßt sich auch in alles etwas hineininterpretieren. Über die Ausstellung selbst kann ich mich nach dem Voranstehenden wohl kurz fassen. Es genügt, glaube ich, wenn ich einige Sätze aus den Vorworten des Katalogs (er hat deren fünf) zitiere:

⟨Zu unbestimmter Stunde, aus einer heute uns verschlossenen Quelle, aber unvermeidlich kommt zur Welt das Werk. Kalte Berechnung, planlos springende Flecken, mathematisch genaue Konstruktion (klar daliegend oder versteckt), schweigende, schreiende Zeichnung, skrupulöse Durcharbeitung, Fanfaren der Farbe, das Geigenpianissimo derselben, große, ruhige, wiegende, zersplitterte Flächen.

Ist das nicht die Form?

Ist das nicht das *Mittel*?⟩

— — — — — — — — — — — — — — — — oder:

⟨Ein ›numerisches Kunstwerk‹ muß im konstruktiven Sinne Zeichen darstellen, und diese Zeichen sind *die Anordnung und der Ausdruck im allgemeinen*.

In der Anordnung ist ›die Zahl‹ einfach oder zusammengesetzt. *Einfach* ist sie dann, wenn eine Gruppe von numerischen Quantitäten den Maßen der ebenen oder bildlichen Weiten entspricht, die zwischen einer Reihe von zusammengehörigen Punkten existieren u.s.w.⟩ Dies wird genügen.

Wer solchen Galimathias ⟨sic!⟩ schreibt, von dem wird man mir auch ohne weiteres glauben, daß er Stuß malt. ›Synthese‹, eines der Schlagwörter dieser Münchner Vereinigung östlicher Europäer, ist hier voll realisiert. Einmal ist ihre Ausstellung, als Ganzes genommen, konzentrierter Unsinn, dann aber findet man außerdem noch eine Synthese aus sämtlichen Unzulänglichkeiten und nichts weniger als entwicklungsfähigen Manierismen der Kunst aller Völker und Zonen vor, von den kannibalischsten Naturvölkern an bis herauf zu den Neupariser Decadents.

Auf einen Punkt muß ich aber noch zu sprechen kommen. Wenn auch ganz sporadisch, so stößt man innerhalb der Kollektion doch auch auf ein paar Arbeiten, deren Schöpfer wirklich begabte und wahrhaft künstlerisch empfindende Menschen sind. So ist ein Marmorkopf »Diana« von *S. Soudbinine* da, der seiner feinen Materialbehandlung wegen und der delikaten Modellierung als ein Meisterwerk anzusprechen ist; auch die Plastiken *B. Hoetgers* offenbaren, trotz ihres üppigen Eklektizismus, ein starkes Vermögen, ebenso sind die Sachen eines *Moyssey Kogan* und *A. Nieder* wertvoll. Wie kommen diese Leute unter diese Horde von Stümpern (deren Geniewahnsinn sollte die einzige Überlegung abkühlen, daß das Genie noch nie herdenweise wie sie aufgetreten ist)? – Ich kann mich des Verdachtes nicht erwehren, daß es sich hierbei um einen Opportunismus übelster Sorte handelt, und daß sie die Sensation als Vehikel zu nützen gedenken, rascher in der Leute Mund zu kommen. Gerade heute aber, wo überall Überzeugungslosigkeit Trumpf ist, sollte der Künstler, der doch zu den Führern der Kultur zählen will, mehr als je den ›perfect gentleman‹ repräsentieren und wie dieser sich nicht um persönlicher Vorteile willen in eine üble Gesellschaft begeben. Wenn ein Mann wie *A. Kubin* hier neuerdings mit ausstellt, so nimmt mich das weniger wunder. Ich habe Kubin, dessen Bedeutung lediglich in einem, wenn auch pathologischen, so doch immerhin originellen und starken Erlebnisgehalt seiner Arbeiten liegt, technisch stets nur als Dilettanten gewertet und so reiht er sich hier zwanglos ein.

Doch damit Schluß der Debatte! Sollte ich, wie das in unseren Zeitläufen nicht als ausgeschlossen erscheint, durch meine absprechende Beurteilung dieser Ausstellung für sie unter dem sensationsbedürftigen Teil des Publikums Reklame machen, so sollte mir dies aufrichtig leid tun.   M. K. Rohe.«

(Münchner Neueste Nachrichten, 63. Jahrg., Nr. 424 v. 10. IX. 10.)

Im Manuskript von Marc hat Erbslöh zu der Nennung von Hofer folgende Fußnote angebracht: »Hofer ist übrigens Mitglied unserer Vereinigung seit dem Bestehen, doch hatte er leider für diese II. Ausstellung keine Arbeiten, da er bereits durch den ›Sonderbund‹ in Düsseldorf und den ›Künstlerbund‹ in Darmstadt in Anspruch genommen war. – Auch Matisse und Hodler, die wir eingeladen hatten, hatten *leider* nichts für die Ausstellung zur Verfügung.«

15. ›Deutsche und französische Kunst‹ (Mitte 1911)

Sieben Blatt in Folio, eigenhändig. Gekürzt abgedruckt in: Im Kampf um die Kunst / Die Antwort auf den Protest Deutscher Künstler. Mit Beiträgen deutscher Künstler, Galerieleiter, Sammler und Schriftsteller. München 1911, S. 75–78; dort unterzeichnet: »Sindelsdorf b. München. / Franz Marc.«
München, Archiv Reinhard Piper
Auszug wiederabgedruckt in: Hermann Bünemann, Franz Marc Zeichnungen und Aquarelle. München (1948) ³1960, S. 34f.

16. ›Ideen über Ausstellungswesen‹ (Juni 1911)

Aus: DER STURM, 3. Jahrgang 1912/13, Nr. 113/14, Juni 1912, S. 66
Unterzeichnet: »Franz Marc«
Manuskript verschollen

Am Schluß die Ankündigung: »Die zurückgestellten Bilder des Sonderbundes werden vom 16. Juni ab in der vierten Ausstellung der Zeitschrift ›Der Sturm‹ Königin Augustastraße 51 ausgestellt.«
Wiederabdruck in: Werkstatt der Kunst, 11. Jahrgang 1911/12, Nr. 41, S. 563f.

17. ›Zur Sache‹ (Juni 1912)

Aus: DER STURM, 3. Jahrgang 1912/13, Nr. 115/116, Juni 1912, S. 79f.
Unterzeichnet: »Franz Marc«
Manuskript verschollen

18. ›Erwiderung‹ (Juli 1912)

Aus: Münchner Neueste Nachrichten Nr. 384 vom 30. Juli 1912
Manuskript verschollen
Marcs Eingesandt wurde von der Zeitungsredaktion mit folgender Bemerkung eingeleitet:

»Von ›Pechsteins Pech‹ erzählte uns in Nr. 365 eine Berliner Korrespondenz eine amüsante Geschichte. Zu dieser Notiz schickt uns nun ein Freund Pechsteins, der Maler Franz Marc in Sindelsdorf bei Penzberg, eine Erwiderung. Marc gehört dem Kreise des ›Blauen Reiters‹ an, ist also, wenn auch kein ›Futurist‹, so doch ebenfalls ein Maler, der noch sehr an die Zukunft zu appellieren hat. Die Erwiderung, die wir als Beitrag zur heutigen ästhetischen Zerklüftung wiedergeben, lautet: . . . «

Der vollständige Text der oben genann-   vom 20. Juli 1912 lautet:
ten Berliner Korrespondenz in Nr. 365

»*Pechsteins Pech*, oder *Das Unheil der Futuristen*. Man schreibt uns aus Berlin: Berlin lacht! Es hat wieder einmal Anlaß zu riesengroßer Schadenfreude. Man kennt die Futuristen, man weiß, daß ihre Kunst den einen als heiligste Offenbarung, den andern als Zeichenversuche des kleinen Moritz erscheinen. Diese letzteren haben sich nun mit den ersteren einen köstlich gelungenen Spaß erlaubt. Einige junge Maler in Barmen, die noch zur ›alten Richtung‹ gehören, machten sich einen Ulk daraus, Futuristengemälde zu ›malen‹. Sie klitschten die verworrensten Farben auf die Leinwand, hunderterlei Sinnlosigkeiten, den absichtlichsten Wahnsinn. Diese ›Gemälde‹ sandten sie mit einem Brief, in dem sie sich als begeisterte Futuristen vorstellten, dem Führer der Futuristen, dem Maler M. *Pechstein*, ein und baten ihn um sein Urteil und um seine Protektion bei der bekannten Futuristenzeitschrift ›Der Sturm‹, deren Redaktion er diese Gemälde zur Reproduktion empfehlen sollte. Und siehe – der Futuristenführer erkannte die – Dupierung nicht; er sandte dem Barmener Künstler postwendend folgendes Schreiben:

Berlin-Friedenau, Offenbarerstr. 1
Sehr geehrter Herr! Danke Ihnen für den Beweis, daß sich überall die Kräfte regen. Es gefallen mir Ihre Arbeiten(!) und werde dieselben H. Walden, Herausgeber des Sturm geben, *damit er einiges verwendet*(!). Werde mich sehr interessieren, gelegentlich einmal Bilder zu sehen. Herbst dieses Jahres stelle eine Kollektion Zeichnungen für eine *Ausstellung* in einem Museum zusammen, und werde Ihnen dann nach Barmen schreiben, etwa 10 Arbeiten dafür zu geben(!).
Hochachtung   M. *Pechstein*

Der anerkannte Führer des Futurismus erlag also einer plumpen Mystifikation – ein Beweis, wie unsicher selbst bei den Futuristen das Gefühl für die von ihnen propagierten ›neuen Werte‹ ist, wenn sie eine absichtliche Verhöhnung nicht von einer Offenbarung unterscheiden können. Die Kunstwerke der Barmener Künstler, die Herrn Pechstein gefielen, sind jetzt im Schaufenster einer Berliner Zeitungsredaktion ausgestellt und – Berlin lacht!«

19. ›Die Futuristen‹ (Oktober 1912)
Aus: DER STURM, 3. Jahrgang 1912/13, Nr. 132, Oktober 1912, S. 187
Manuskript verschollen
Marc bezieht sich auf die von Herwarth Walden organisierte Ausstellung, die im April/Mai 1912 in Berlin stattgefunden hatte: ›DER STURM Zweite Ausstellung: Die Futuristen. Umberto Boccioni, Carlo D. Carra ⟨sic!⟩, Luigi Russolo, Gino Severini.‹ Zur Zeit der Niederschrift des Beitrages wurde sie in Köln gezeigt. Die beiden Zitate sind den Bilderklärungen des Berliner Kataloges entnommen, und zwar zu der Nr. 4 (Boccioni, ›Das Leben der Straße

dringt in das Haus‹, unsere Abb. 38) und Nr. 9 (Boccioni, ›Die Macht der Straße‹, unsere Abb. 39). Auch Paul Klee hat diese Ausstellung besprochen und dieselben Titel zitiert wie Marc: Die Alpen, VII. Jahrgang, Heft 4, Dezember 1912, S. 239f. (nach: Paul Klee, Schriften, Rezensionen und Aufsätze. Herausgegeben von Christian Geelhaar. Köln 1976, S. 113f.)

20. ›Notiz‹ (Juni 1913)

Aus: DER STURM, 4. Jahrgang 1913/ 14, Nr. 166/167, Juni 1913, S. 55

Manuskript verschollen

Marc bezieht sich auf den Artikel: Karl Scheffler, Die Jüngsten, in: Kunst und Künstler, XI. Jahrgang 1913, S. 391– 409. Nach kritischen Bemerkungen über Pechstein, Nolde und Kokoschka folgt der von uns in der Einführung zitierte Satz: »... Mit mehr Kraft tritt aus dem Getümmel sodann Marc in einigen seiner assyrisch beeinflußten Tierdarstellungen hervor ...«, danach kommt Scheffler auf Erbslöh, Kandinsky und Deusser zu sprechen. Das – verschollene – Temperablatt ›Ruhende Kühe‹ (Abb. 10, in: Katalog der Werke 1976, Nr. 425, wohl seitenverkehrt reproduziert) war dem Kritiker vermutlich von der Ausstellung des Sonderbundes in Köln 1912 bekannt, dort war es unter Nr. 451 ausgestellt. Marc hat seine Ankündigung wahrgemacht und über Herwarth Walden beim Königlichen Amtsgericht Berlin-Schoeneberg eine einstweilige Verfügung erwirkt, in der es unter dem 23. Juni 1913 heißt: »Der Antragsgegner hat sich jeden weiteren Vertriebes und jeder weiteren Verbreitung des auf Seite 409 der Nummer 8 der Monatsschrift ›Kunst und Künstler‹ vom Juni 1913 hergestellten Bildes betitelt ›Franz Marc, Ruhende Kühe‹ bei Ver-

meidung einer fiskalischen Strafe von 500 – fünfhundert Mark für jeden Fall der Zuwiderhandlung zu enthalten.« Eine entsprechende einstweilige Verfügung erging gleichfalls am 23. Juni 1913 vom Königlichen Amtsgericht Charlottenburg gegen den Redakteur Franz Pfemfert in Wilmersdorf, Inhaber des Verlages ›Die Aktion‹, wegen der widerrechtlichen und entstellenden Reproduktion (siehe Abb. auf dieser Seite) einer anderen Arbeit Marcs in: Die Aktion, III. Jahrgang, 1913, Spalte 595/596. Hierbei handelte es sich nicht um einen ›Holzschnitt‹, wie unter der Reproduktion angegeben, sondern um den Druck nach einem Faksimile des Aquarells ›Schwarz-weißes Fabeltier (Hund)‹ (Katalog der Werke 1976, Nr. 847)

Auf die Kontroverse mit Scheffler kam Marc noch im Krieg zu sprechen, als an eine Veröffentlichung seines Nachrufes auf August Macke (unsere Nr. 30) in der Zeitschrift ›Kunst und Künstler‹ gedacht wurde; siehe den Brief Marcs an Elisabeth Macke vom 22. Februar 1915 (Briefe, Aufzeichnungen und Aphorismen, S. 139).

21. ›Vorwort‹ Zum Katalog ›Erster Deutscher Herbstsalon Berlin 1913‹ September 1913
Aus dem Katalog: ›Erster Deutscher Herbstsalon. Berlin 1913. DER STURM Leitung: Herwarth Walden‹, S. 9
Manuskript verschollen
Das Vorwort ist unterzeichnet »Die Aussteller«, doch nach Inhalt und Stil von Marc verfaßt, der zur Vorbereitung der Ausstellung in Berlin war.

22. ›Kandinsky‹ (November 1913)
Aus: DER STURM, 4. Jahrgang 1913/14, Nr. 186/187, November 1913, S. 130
Manuskript verschollen
Marc hatte mit vielen Anderen auch eine gemeinsame Erklärung folgenden Wortlauts unterschrieben: »Die Unterzeichneten erheben hierdurch gegen die Beschimpfung des Künstlers Kandinsky im ›Hamburger Fremdenblatt‹ vom 15. Februar den allerschärfsten Protest und sprechen dem Beleidigten ihre Sympathie aus« (DER STURM, 3. Jahrgang 1912/13, Nr. 150/151 und 154/155, März 1913)

23. ›Die Wilden Deutschlands‹ (Herbst 1911)
Aus: Der Blaue Reiter. München 1912 (2. Auflage 1914), S. 5–7
Wiederabdruck in: Der Blaue Reiter. Dokumentarische Neuausgabe von Klaus Lankheit. München 1965, S. 28–32
Manuskript verschollen
Gleichzeitige Kopie in Maschinenschrift in Bonn, Nachlaß August Macke. Ein ebendort bewahrtes maschinenschriftliches Vorwort der ›Redaktion‹ vom Oktober 1911 ist trotz der Unterschrift »Kandinsky, Franz Marc« nach Inhalt und Stil allein von ersterem verfaßt (siehe: Der Blaue Reiter. Dokumentarische Neuausgabe von Klaus Lankheit, München 1965, S. 313 f.).

Geschrieben zwischen September und November 1911

24. ›Zwei Bilder‹ (September 1911)
Aus: Der Blaue Reiter. München 1912 (2. Auflage 1914), S. 8–12. Wiederabdruck in: Der Blaue Reiter. Dokumentarische Neuausgabe von Klaus Lankheit. München 1965, S. 33–38
Manuskript verschollen, gleichzeitige Kopie in Maschinenschrift in *Bonn, Nachlaß August Macke*
Siehe Brief Kandinskys an Marc vom 8. September 1911 über eine frühere verlorene Fassung, die offenbar aufgrund der Bemerkungen des Freundes verändert wurde: » . . . Ich habe Ihren Artikel im allgemeinen und auch in ⟨den⟩ meisten Einzelheiten sehr gern. Manches von den letzteren scheint mir etwas zweideutig zu sein (Fackeln!), manches möchte ich bestreiten: *wir sehen doch die Morgenröte klar und brauchen nicht auf sie zu warten.* – Unklar ist mir, ob wir (bezw. Sie) mich am Anfang Ihres Artikels bringen dürften. Ist dies nun nur conventionelle Angst vor ›Reklamemacherei‹? Oder ist ein anderer echter Grund da, der mir fingerdroht? / Ich bringe alle Papiere mit und wir stellen den Inhalt des Heftes I fest, soviel es möglich ist natürlich . . . « (unveröffentlicht).
Bei den Hinweisen ›rechts‹ und ›links‹ auf die beigegebenen Abbildungen geht Marc nicht vom Leser, sondern vom Buch aus.

25. ›Geistige Güter‹ (Oktober 1911)
Aus: Der Blaue Reiter. München 1912 (2. Auflage 1914), S. 1–4
Wiederabdruck in: Der Blaue Reiter. Dokumentarische Neuausgabe von Klaus Lankheit. München 1965, S. 21–24
Manuskript verschollen

Eine – zweite – handschriftliche Fassung von Marc, darin eingeklebt fünf Andrucke von Abbildungen, die im Band an anderer Stelle stehen, in *Bonn, Nachlaß August Macke*
Siehe Brief Kandinskys an Marc vom 9. Oktober 1911: »Ihren Artikel (Greco) will ich noch einmal in aller Ruhe lesen. Es gefällt mir und Ella ⟨= Gabriele Münter⟩ sehr⟨,⟩ der herzliche Ton und der Gedanke. So viel ich beurteilen kann (momentan), würde ein mutigerer Ton die Wärme nur heben, stärker herausklingen lassen. Die Sache ist sympathisch und lebendig, wie alles, was Sie schreiben« (unveröffentlicht).
Über Tschudi siehe: Gesammelte Schriften zur neueren Kunst von Hugo von Tschudi, herausgegeben von E. Schwedeler-Meyer, München 1912 (darin besonders: ›Biographische Skizze‹ von E. Schwedeler-Meyer, S. 9–30, und ›Vorwort zum Katalog der aus der Sammlung Marczell von Nemes-Budapest in der Kgl. Pinakothek zu München 1911 ausgestellten Gemälde‹, S. 226–231 – Kurt Martin, Die Tschudi-Spende, Hugo von Tschudi zum Gedächtnis. München 1962

26. Text zum Subskriptionsprospekt des Almanachs (Januar 1912)
Faltblatt von vier Seiten (unsere Abb. 14)
Unterzeichnet: »Franz Marc.«
Manuskript verschollen
Wiederabdruck in: Der Blaue Reiter. Dokumentarische Neuausgabe von Klaus Lankheit. München 1965, S. 316
Zurückgehend auf eine Besprechung Kandinskys im Verlag Piper am 24. November 1911, von Marc im Januar 1912 während eines Berlin-Besuchs geschrieben, im Februar 1912 erschienen, am 2. März 1912 im Börsenblatt für den Deutschen Buchhandel angezeigt.

Siehe Brief Marcs an Kandinsky vom 16.(?) Januar 1912 aus Berlin: ». . . Ich komme nicht zum ruhigen Schreiben; im Entwurf hab ich beides: Subskription und post script; ich hoffe sie morgen abschicken zu können« (unveröffentlicht). Das »post script« ist der Nachsatz zu Artikel »Geistige Güter« (Nr. 25).

27. Vorwort zum Katalog der Ausstellung ›Der Blaue Reiter‹, veranstaltet vom STURM, 2. Auflage (Oktober 1912?)
Aus: ›DER STURM: Der Blaue Reiter, Ausstellungskatalog‹.
Drittes Tausend 1914, S. 3
Manuskript verschollen
Die Quellenangabe auf S. 3 des Kataloges lautet: »Aus dem Buch: Der Blaue Reiter / erschienen bei R. Piper und Cie., München«. Diese Angabe ist nicht korrekt. Der Text ist vielmehr eine *veränderte* Fassung des Schlusses von ›Zwei Bilder‹ (unsere Nr. 24). Das viertletzte Wort lautet statt ›Zeit‹ irrig ›Stadt‹.
Das Vorwort wurde anscheinend bereits der 1912 notwendig gewordenen 2. Auflage des Kataloges eingefügt, von der dem Herausgeber kein Exemplar bekannt geworden ist; jedoch siehe dazu die Mitteilung Franz Marcs an Gabriele Münter in der Nachschrift eines Briefes Maria Marcs an Münter vom 11. Oktober 1912: »Mit H. Walden besprach ich einen neuen Bl.-Reiter-Katalog, der nun doch endlich gemacht werden muß, nachdem der alte zu 2/3 nicht mehr stimmt. Ich denke, Kandinsky wird einverstanden sein, wenn ich als Textvordruck aus der ›Formfrage‹ S. 76 bis Ende 78 (mit einer kleinen Wortumstellung am Anfang) abdrucken lasse, desgleichen ca. 20 Zeilen aus meinem Artikel: ›Zwei Bilder‹ von

mir. Es ist entschieden besser, wenn der Katalog einigen Text enthält . . .« (unveröffentlicht).

28. Vorrede zum geplanten 2. Buch (Februar 1914)
Unterzeichnet: »Fz. Marc«
Manuskript verschollen
Geschrieben im Februar 1914
Erstdruck in: Der Blaue Reiter. Dokumentarische Neuausgabe von Klaus Lankheit. München 1965, S. 325f.

29. Vorwort zur 2. Auflage (März 1914)
Aus: Der Blaue Reiter. 2. Auflage. München 1914
Unterzeichnet: »F M / März 1914.«
Manuskript verschollen
Wiederabdruck in: Der Blaue Reiter. Dokumentarische Neuausgabe von Klaus Lankheit. München 1965, S. 322–324
Auszugsweise veröffentlicht in: Hermann Bünemann, Franz Marc Zeichnungen und Aquarelle. München (1948) [3]1960, S. 35 (vorletzte Zeile lies ›undurchfurcht‹ statt ›undurchforscht‹)
Siehe Brief Kandinskys an Marc vom 25. März 1914: » . . . Ihr Vorwort habe ich an Piper geschickt. Sie haben es sehr richtig mit ›F.M.‹ unterzeichnet. Ich stelle unter meins ein ›K.‹. Das was Sie sagen, kann ich nicht bekämpfen. Ich würde aber nicht den Mut haben, Ihre Auffassung zu verteidigen. Das Däublersche ›alles fängt nur an auf Erden‹ will mein Gefühl nicht annehmen . . . « (unveröffentlicht).

30. ›August Macke †‹ (Oktober 1914)
Zwei eigenhändige Manuskripte, je zwei Seiten in Folio, beide datiert: »Hageville, 25. X. 14« und unterzeichnet: »Franz Marc« (Abb. 23). Es bedeutet: ‹. . .› = Einschub in zweite Fassung
Nürnberg, Germanisches Nationalmuseum

Mit leichten Änderungen (von Maria Marc?) erstmals veröffentlicht in: Briefe, Aufzeichnungen und Aphorismen, S. 143
Siehe den Brief Marcs an Maria vom 23. Oktober 1914 (Briefe, Aufzeichnungen und Aphorismen, S. 18) und die Briefe Marcs an Elisabeth Macke vom selben Tag und später (ebenda, S. 135–139
Siehe auch den Brief Marcs an Maria vom 26. Oktober 1914: » . . . Über August's Schicksal kann ich mich nicht beruhigen, auch zu keiner freudigen Hoffnung kommen. Ich schrieb schon gestern den kleinen Nachruf; behalte ihn und wenn sich sein trauriger Tod bestätigt, sende ihn mit dem Begleitschreiben an die Frankfurter Zeitung, wenn Du keinen Vermittler erfährst, der es dort übergeben könnte; ich weiß nicht, ob Mayer der richtige ist. Frage vielleicht Wolfskehl oder Kubin« (unveröffentlicht).
Der genannte Alfred Mayer war ein Freund Marcs in München (siehe: Katalog der Werke 1970, Nr. 501). Er schrieb einen Nachruf auf Marc (Vossische Zeitung Nr. 125 vom 8. März 1916).
Die Veröffentlichung in der Frankfurter Zeitung unterblieb, – vermutlich weil für diese schon Hans Hildebrandt einen Nekrolog auf Macke eingesandt hatte, der in Nr. 330, I. Morgenblatt, vom 28. November 1914 erschien.

31. ›Im Fegefeuer des Krieges‹ (Oktober 1914)
Sechs Seiten maschinenschriftliche Kopie mit handschriftlichen Verbesserungen von Maria Marc; 1948 vom Herausgeber durchgesehen und mit dem damals noch im Original vorliegenden Manuskript des dritten Teils berichtigt.
Nürnberg, Germanisches Nationalmuseum

224

Die maschinenschriftliche Kopie trägt den Titel: »Artilleristisches und Anderes«; die Überschrift »Im Fegefeuer des Krieges« wurde anscheinend erst für den Druck gewählt.
Erstdruck ohne die Zwischentitel in: Vossische Zeitung Nr. 637 vom 15. Dezember 1914, S. 2f. Wiederabdruck mit den Zwischentiteln in: Kunstgewerbeblatt, Neue Folge, XXVI. Jahrgang 1914/15, Heft 7, April 1915, S. 128–130. Erneuter Wiederabdruck ohne die Zwischentitel in: DER STURM 7. Jahrgang 1916/17, Nr. 1, April 1916, S.2. – In der Vossischen Zeitung und im STURM fehlen die letzten drei Absätze. (»Das Deutschtum wird ... wenn wir reich bleiben wollen.«)
Der Beitrag in der ›Vossischen Zeitung‹ trägt folgende Vorbemerkung der Redaktion: »Der bekannte Münchener Maler, der zu den begabtesten Führern der neuen Bewegung gehört, sendet uns die nachstehenden Ausführungen, die uns zur Charakteristik der Beziehungen der jüngeren Künstler zum Kriege nicht unbedeutsam erscheinen.«
Datierbar durch den Brief Marcs an Maria vom 7. Oktober 1914: »Heute schicke ich Dir das Manuskript ... « (unveröffentlicht). Schon in einem Brief an Maria vom 10. Oktober 1914 heißt es: » ... Was ich für die Vossische Zeitung schrieb, ist gar nichts Entscheidendes und Bestimmtes, es ist mehr so ein Gedankengeplänkel ... « (unveröffentlicht).
Den dritten Teil hat Marc nach wenigen Tagen umgeschrieben. Siehe darüber an Maria: »... Den Artikel III ‹gemeint ist der dritte Abschnitt von ›Im Fegefeuer des Krieges‹› werde ich ganz neu schreiben, er ist nicht gut, das fühl ich selber. Ich werde das Professoren-Thema berühren, aber in ganz anderer Form und den ganzen Ge-

dankengang erweitern ...« (13. Oktober 1914; Briefe Aufzeichnungen und Aphorismen, S. 14). – »... ich arbeite Artikel III ganz um; sende ihn Dir morgen oder übermorgen. Ich hab ausführlich mit Prof. Ehrhardt damals in Straßburg über das Thema geredet, der *ganz* meiner Meinung ist, auch *viele* andere. Nur muß ich es ganz anders ausdrücken. No. III ist überhaupt nicht gut; man merkt, daß ich magenkrank war beim Schreiben.« (ebenfalls 13. Oktober 1914; unveröffentlicht). – »... beiliegend No. III. Mein Name kann am Anfang, unter dem Titel stehen. Ändere an Kleinigkeiten, so viel Du willst, aber das Ganze möchte ich doch gebracht wissen, auch wenn es in seinem (wahrlich milden) Angriff gegen die Professoren Widerspruch erregt. Die Sache ist symptomatisch doch ein ernster Fall und ich kann sie nicht gut heißen ... Schicke Exemplar der ›Vossischen‹ an Koehler (mit ein paar Worten, daß ich es im Lazarett geschrieben etc.), dann an Kubin; ich bekam heute einen sehr netten Brief von ihm ...« (15. Oktober 1914; Briefe Aufzeichnungen und Aphorismen, S. 14f.).
Die erste, ungedruckte Fassung des dritten Teils lautet:

»›Denn wer da hat, dem wird gegeben, und wer nicht hat, von dem wird man nehmen, auch was er hat.‹

Eine Reihe deutscher Gelehrter hat es für richtig gehalten, englische Ordensauszeichnungen und Ehrentitel mit einer feierlichen Geste des Ekels beim Kriegsausbruch mit England öffentlich abzulegen. So schnell schnurrt der Horizont der deutschen Gelehrten zusammen vor einem Ereignis wie diesem Kriege, den er wissenschaftlich nicht fassen kann.

Der menschliche Geist hat sich in tausendjähriger Arbeit ein stolzes Reich geschaffen, das keine nationalen, sprachlichen oder sozialen Grenzen kennt: die exakte Wissenschaft, das einzig wirklich internationale Erbgut des heutigen Menschen, gegen welches das frühere Erbgut der Welt, die Papstidee, der reine Spielball geblieben ist.

Was hat die reine Wissenschaft mit dem europäischen Krieg zu thun? Hat irgend jemand dieses Kleinod angetastet? Wohl niemand eher, als jene deutschen Gelehrten, die den immanenten Begriff der reinen Wissenschaft scheinbar in ›deutsche Wissenschaft‹ umgewandelt ⟨sehen⟩ wollen.

Die deutschen Herren hatten nicht einmal Notiz genommen von dem scharfen Protest, den große englische Gelehrte an ihre Regierung, eben wegen des Krieges gegen Deutschland und der schmählichen Unterstützung des Slaventumes, gerichtet haben.

Diese blamable Geschichte hat uns erschreckt.

Sollten das die Folgen, der ›Gewinn‹ des fürchterlichen Krieges sein, für den wir unser Blut hingeben? Statt Bereicherung Verarmung? Deutscher Chauvinismus?

Wenn wir nicht nur politisch, sondern auch geistig die Sieger nach diesem Kriege bleiben wollen, dann brauchen wir eine ungeheure Saugkraft, ein skrupelloses Nehmen, Aufnehmen, Verwenden des Errungenen und Neuen, das sich dem Sieger andrängt. Wer hat, dem wird noch gegeben.

Mit der Kunst wird es hierin nicht anders sein.

Wer zurückdenkt, weiß, daß dem Gesunden darin keine Gefahr droht. Haben die maurischen Einflüsse der deutschen Gotik geschadet? Oder haben die orientalischen Einflüsse, von der Früh-

gotik an bis zur Renaissance ⟨,⟩ etwas anderes bedeutet als eine Bereicherung? Gehört dieser verdeutschte Orient nicht zum Köstlichsten in unsern Bibeln und Kathedralen?

Wir sind heute in einer ähnlichen Lage wie damals.

Von der absterbenden Kunst der heutigen Romanen und Orientalen können wir viel, sehr viel feines uns assimilieren. Wir fühlen unsre unverbrauchten Kräfte und wollen sie nutzen. Wir haben keine Furcht, und kein fremder Reichtum darf uns fremd sein, gerade weil wir Deutsche für ein Jahrhundert die Reichen dieser Erde sein werden.«

32. ›Das geheime Europa‹ (November 1914)

Manuskript verschollen

Nach einer von Maria Marc angefertigten maschinenschriftlichen, vom Herausgeber 1948 anhand des inzwischen verschollenen handschriftlichen Originals überprüften Kopie.

Datierbar durch den Brief Marcs an Maria vom 23. November 1914: »... Einliegend das Manuskript ...« (Briefe, Aufzeichnungen und Aphorismen, S. 24)

Erstdruck in: Das Forum I. Jahrgang 1914/15, Nr. 12 vom März 1915, S. 632–638. Die dortigen, von uns verbesserten Druckfehler werden in einem Brief Marcs an Maria vom 25. April 1915 aufgeführt (unveröffentlicht).

Der Abdruck in ›Das Forum‹ trägt die Vorbemerkung des Herausgebers: »Der Verfasser dieses Aufsatzes ist der junge hochbegabte Maler Franz Marc. Seine Stimme hier im Forum zu Gehör zu bringen, freut mich und die Betonung scheint mir überflüssig, daß ›gute Europäer‹ unter den Deutschen im Einzelnen verschieden urteilen werden.«

Bei der Auseinandersetzung mit Wil-

226

helm Worringer bezieht sich Marc auf dessen ohne Überschrift erschienenen Artikel in: Zeit-Echo 1914, Heft 2, S. 20–22. – Henri Bergson (Paris 1859–1941), als Philosoph Vertreter einer auf Intuition begründeten metaphysischen Richtung, hatte bei Kriegsbeginn die Deutschen ein Volk von Barbaren genannt; siehe: Fritz Mauthner, Wörterbuch der Philosophie I, Leipzig ²1923, S. 162; Max Scheler, Die Ursachen des Deutschenhasses, Leipzig 1917 (Diesen Hinweis verdanke ich Hans Lenk).

33. ›Der hohe Typus‹ (Wende 1914/15)
Nach handschriftlicher Kopie von Maria Marc in *Nürnberg, Germanisches Nationalmuseum*
Unveröffentlicht
Manuskript verschollen
Datierbar durch den Brief Marcs an Maria vom 7. Januar 1915: »... endlich kann ich Dir den großen Artikel II schicken; ich bin in seiner Beurteilung ebenso unsicher als seinerzeit beim ersten ... « (Briefe, Aufzeichnungen und Aphorismen, S. 36). Die Zählung der Artikel bei Marc ist nicht leicht durchschaubar. Daß mit ›Artikel II‹ der vorliegende gemeint ist, geht jedoch daraus hervor, daß die Kopie von der Hand Marias mit ›II‹ überschrieben ist. Von der Veröffentlichung nahm Marc auf Anraten Marias Abstand (s. Einführung, S. 26 f.).

34. Bemerkungen zu: L.N. Tolstoi, Was ist Kunst? (Frühjahr 1915)
Handschriftliche Eintragungen und Zusätze in dem Band: L.N. Tolstoi, Was ist Kunst? / Übersetzt von M. Feofanoff. Jena 1911
Unveröffentlicht
München, Nachlaß Franz Marc
Entstanden im April 1915. Siehe: Brief Marcs an Maria vom 18. April 1915 (Briefe, Aufzeichnungen und Aphoris-

men, S. 52–55) und vom 27. April 1915 (ebenda, S. 55 f.): »... Ich lese jetzt den Tolstoi nochmals mit großer Aufmerksamkeit und lege Dir ab und zu Zettel in die Seiten ... « (S. 56).
Zu Marcs Urteil über den russischen Dichter und Philosophen siehe ferner Lankheit 1976, S. 141 f.
Das »frühitalienische Porträtwerk in der Pinakothek« meint das Familienbildnis von Baldassarre Estense (?) in München, Inv.-Nr. 8709. Marc hatte seiner Frau gelegentlich eine Abbildung davon gezeigt und sollte es nochmals in einem Brief an Maria vom 27. März 1915 erwähnen (Briefe, Aufzeichnungen und Aphorismen, S. 40).

35. ›Die 100 Aphorismen / Das zweite Gesicht‹ (Anfang 1915)
Französisches Notizbuch mit Formularkopf der französischen Gendarmerie auf jeder Seite in Oktav, handschriftlich (Abb. 24 u. 25)
Da Marc die vorliegende Fassung offenbar als ›Reinschrift‹ gewertet hat, blieben Streichungen unberücksichtigt.
Unveröffentlicht
Nürnberg, Germanisches Nationalmuseum
Am 20. Februar 1915 beendet (Briefe, Aufzeichnungen und Aphorismen, S. 37), wahrscheinlich am 22. Februar 1915 in die Heimat abgeschickt (ebenda, S. 38). Weitere Briefstellen vom 5. und 27. März und vom 6. April 1915 s. in unserer Einführung, zu der Niederschrift auch: Lankheit 1976, S. 146 f.
Bisher nur in Auszügen veröffentlicht: dreiundzwanzig Aphorismen in: Briefe, Aufzeichnungen und Aphorismen, S. 126–132; fünfzehn weitere – meist unvollständig – in: Alois Schardt, Franz Marc. Berlin 1936, passim; zehn auch in: Aufzeichnungen und Aphorismen. Galerie Günther Franke. München 1946, Faltblatt.

Verzeichnis der Abbildungen

Felde. München, Staatliche Graphische Sammlung. Katalog der Werke Nr. 690

27 ›Zaubriger Moment‹, 1915 (zu S. 29 und Text 35). Bleistift, 16 × 9,8 cm. Blatt 21 des Skizzenbuchs aus dem Felde. München, Staatliche Graphische Sammlung. Katalog der Werke Nr. 687

28 Christus am Ölberg, Zeichnung Franz Marcs nach einem Gemälde von El Greco, 1911 (zu S. 23 und Text 25). Bleistift, 17 × 10,5 cm. Blatt 35 des Skizzenbuchs XXIV. Nünchen, Nachlaß

29 El Greco: Christus am Ölberg, 1605–1610 (zu S. 23 und Text 25). Öl auf Leinwand, 170 × 112,5 cm. Budapest, Szépművészeti Muzeum

30 Anselm Feuerbach: Amazonenschlacht, 1873 (zu Text 14). Öl auf Leinwand, 405 × 693 cm. Nürnberg, Museen der Stadt

31 Wladimir von Bechtejeff: Amazonenschlacht, 1909 (zu Text 14). Öl auf Leinwand, 105 × 156 cm. München, Bayerische Staatsgemäldesammlungen

32 Pierre Girieud: Stilleben, 1909 (zu Text 14). Ehem. München, Adolf Erbslöh

33 Adolf Erbslöh: Der rote Rock, 1910 (zu Text 14). Öl auf Pappe, 115 × 85,5 cm. Wuppertal, Kunst- und Museumsverein

34 Wassily Kandinsky: Improvisation 9, 1910 (zu Text 14). Öl auf Leinwand, 110 × 110 cm. Stuttgart, Staatsgalerie

35 Wassily Kandinsky, Komposition II, 1910 (zu Text 14). Öl auf Leinwand, 97,5 × 130,5 cm. New York, The Solomon R. Guggenheim Museum

36 Märchenillustration, um 1830 (zu S. 24 und Text 24). Aus dem Almanach: ›Der Blaue Reiter‹, S. 8

37 Wassily Kandinsky: Lyrisches, 1911 (zu S. 24 und Text 24). Öl auf Leinwand, 94 × 130 cm. Rotterdam, Museum Boymans-van Beuningen

38 Umberto Boccioni: Der Lärm der Straße dringt in das Haus, 1911 (zu S. 19f. und Text 19), Öl auf Leinwand, 100 × 100,6 cm. Hannover, Niedersächsische Landesgalerie

39 Umberto Boccioni: Die Macht der Straße, 1911 (zu S. 19f. und Text 19). Öl auf Leinwand, 99,5 × 80,5 cm. Basel, Sammlung Dr. Paul Hänggi

40 Pablo Picasso: La femme à la mandoline au piano, 1912 (zu Text 25). Öl auf Leinwand, 55 × 38 cm. Prag, Sammlung Kramar

Fotonachweis

Karlsruhe, Archiv des Herausgebers: 1, 6, 8, 14, 32
München, Nachlaß Franz Marc (Foto Rosmarie Nohr): 2, 3, 12, 16, 28
Nürnberg, Germanisches Nationalmuseum: 5, 22, 23, 24, 25
Marburg, Foto Marburg: 17
Nach: Der Blaue Reiter, München 1912, S. 8 u. 5: 36, 40
Nach: Kunst und Künstler XI, 1913, S. 409: 10
Hamburg, Kleinhempel Fotowerkstätten: 15
Alle übrigen Abbildungen nach Vorlagen der betreffenden Besitzer, Museen, Sammlungen

Personenregister